TD0682036

CHRONIQUE DES VEILLEURS

Du même auteur :

Saint-Denys-Garneau et ses lectures européennes, Presses de l'Université Laval, 1969
L'univers du roman (en collaboration avec Réal Ouellet), Presses Universitaires de France, 1972
Les critiques de notre temps et Giono, Garnier, 1977
Passage de l'ombre, Parallèles, 1978
Reconnaissances, Parallèles, 1981
Antoine Dumas, Stanké, 1983
Mémoires du demi-jour, L'instant même, 1990

ROLAND BOURNEUF

Chronique des veilleurs

nouvelles

L'instant même

Maquette de la couverture : Anne-Marie Guérineau

Illustration de la couverture : Les Geôliers de passage II, *1988, de Danielle April*

Photocomposition : Imprimerie d'édition Marquis

Distribution pour le Québec : Diffusion Dimedia
539, boul. Lebeau
Saint-Laurent (Québec)
H4N 1S2

Tous droits de traduction, de reproduction et d'adaptation réservés

© Éditions de L'instant même
C.P. 8, succursale Haute-Ville
Québec (Québec)
G1R 4M8
Dépôt légal — 4ᵉ trimestre 1993

Données de catalogage avant publication (Canada)

Roland Bourneuf, 1934-

Chronique des veilleurs : nouvelles
ISBN 2-921197-28-6
I. Titre.

PS8553.0859C47 1993	C843'.54	C93-097342-9
PS9553.0859C47 1993		
PQ3919.2.B68C47 1993		

La publication de ce livre a bénéficié de l'aide financière du Conseil des Arts du Canada et du ministère de la Culture du Québec.

pour Jeanne

Puis il y eut peut-être, dans un temps immémorial, cet homme qui perdit en un instant ses biens et qui, comme presque tous ceux de sa race, disparut avec eux. Par le négoce avec les îles voisines il avait étendu ses terres, augmenté ses troupeaux, bâti d'immenses demeures. Il régnait sur ses femmes et ses serviteurs.

Vint la nuit où les eaux se jetèrent sur la ville. Des tourbillons, des mugissements, des clameurs. Au matin, selon de vagues récits, on ne voyait plus rien que l'étendue de l'eau.

Et ce furent encore des nuits sans nombre. Et le silence.

Au loin, la mer sur laquelle glissent imperceptiblement quelques voiles blanches et une voile noire. Plus loin encore, un autre rivage de rochers clairs qu'embrume l'après-midi finissant. Avec ce fond d'eau, de pierre et de soleil, un petit amphithéâtre s'arrondit parmi les oliviers et les chênes verts. Un groupe d'hommes et de femmes marche dans cette direction. Ils portent de longues tuniques de couleur, ils parlent entre eux, s'arrêtent, repartent au milieu d'un rire. Quelques-uns se tiennent un peu en arrière, les yeux baissés ou levés vers les feuillages et l'horizon. Le groupe parvient maintenant à la construction en demi-cercle. On entend une flûte et un tambourin qui se répondent et préludent doucement. Quelques-uns des promeneurs esquissent un pas de danse, certains portent peut-être un masque. La petite assemblée paraît répondre aux gestes calmes d'une femme en tunique blanche. Son visage est assuré, à peine marqué par l'âge. Sur ses épaules se déploie une chevelure d'un noir intense. Alors que les propos et la musique se sont tus, la femme regarde un très jeune homme resté jusque-là silencieux. Il se place au centre de l'assistance, il est svelte, presque frêle. Il lève lentement la main, il va parler.

Dans la hutte il fait sombre mais la nuit va bientôt s'infléchir. Ateph se lève de son lit de roseaux, prend la jarre, il s'humecte la bouche et boit un peu d'eau tiède. À son âge quelques heures de sommeil suffisent, et il peut ainsi se tenir dans cet intervalle de repos, avant que la meule du jour se remette à tourner. Mais cette nuit quelque chose est venu dans son rêve, comme un oiseau qui va se poser sur sa poitrine et repart. Ateph s'approche de la lucarne taillée dans le pisé. À portée de la main, la paroi noire. Impénétrable, sans une aspérité ni une zone plus claire où l'œil pourrait se poser un instant. Le cœur d'Ateph s'arrête. Peut-être ne faut-il pas trop regarder : la pyramide est terrible comme une foudre immobile. Mais au-dessus des plans obliques qui ne se rejoignent pas encore, dans la petite portion de ciel libre, les étoiles paraissent jaillir d'une matière éclatante et presque liquide. Le cœur se remet à battre. Ateph se retourne lentement vers la porte qui fait face à la lucarne, il écarte le filet qui pend en lambeaux. La lune est couchée. Le sol descend vers des silhouettes de palmiers, puis c'est le fleuve. Et au-delà commence la fuite du désert.

Ateph s'assoit à terre. Parfois un bref clapotis, un froissement, un cri d'oiseau. Ateph écoute. Il respire mieux, il emplit ses poumons du souffle qui vient du fleuve, en devine la course lente. Les barques à l'ancre, comme celle qui, un jour, l'a amené, il y a très longtemps, il ne devait pas être beaucoup plus vieux que le garçon endormi à quelques pas contre le mur de la hutte. Soudain il n'était plus avec son père. Des lunes ont passé. Il a eu mal, et son corps s'est tassé à mesure que grandissait la masse de la pyramide. Il a vieilli avec elle. Depuis longtemps il sait qu'il ne verra jamais les faces se réunir en un sommet parfait. Qu'importe d'ailleurs. Sa tâche à lui est d'œuvrer dans le secret, qui demeurera éternellement dérobé aux regards profanes.

Le ciel pâlit à l'orient alors que les étoiles sont aussi vives, pour un peu de temps encore avant de pâlir elles aussi et de s'effacer. Mais elles sont fidèles, Ateph le sait, il les connaît. Dans les nuits anciennes, avec son père, tous deux regardaient le ciel. Il fallait demeurer debout. Parfois le père levait la main, prononçait un nom, puis un autre, à mi-voix. Ateph y sentait la confiance et la crainte, comme en toutes les paroles que le vieil homme lui adressait quand ils étaient seuls. Il savait en quel point chaque étoile allait briller, dans son esprit il les reliait par des lignes. Alors surgissaient le serpent, le scorpion, le bélier, les poissons, tous les animaux sacrés. Ateph avait aussi appris à dessiner de la pointe du doigt dans le sable, comme il le fait maintenant. Un croissant posé sur un petit cercle, avec au-dessous deux courts traits en croix. Alors le cœur s'emplit de force, mais personne ne doit être témoin, il faut effacer. Ateph se demandait parfois d'où venaient ces signes. Le père — pourquoi lui, comment lui, pauvre paysan ? — parlait de maîtres très anciens dont les noms s'étaient perdus.

Là-bas au pied de la pyramide, à quelques jets de pierre, des torches s'allument dans le camp des ouvriers. Des cris brefs en proviennent. On peut maintenant distinguer sur le fleuve les longues barques à la voile pendante comme une aile. Ce sera bientôt l'heure. Le garçon endormi ne bouge pas

encore mais à quoi bon le réveiller. Il a toute la journée pour
aller puiser l'eau, couper des roseaux et broyer les couleurs
en poudre fine. Sa langue est muette mais ses larges yeux
noirs sont graves quand il reçoit les ordres de son maître et
deviennent tristes sous les réprimandes. Peut-être quelque
jour proche Ateph pourra-t-il guider sa main sur le ciseau, lui
enseigner les signes. Graver en lui des traces qui ne s'effa-
ceront pas, plus vivaces encore que les visages. Certains
reviennent parfois aux approches du sommeil ou avant qu'il
ne se dissipe. Toujours les mêmes. Des visages durcis
comme la pierre des statues aux prunelles vides. Des bouches
qui ricanent ou sourient doucement. La peau cuivrée des
joues, d'un sein qui se dénude pour l'enfant. Ceux-là sont les
frères, tous plus vieux, il y a dans leurs yeux du mépris, peut-
être autre chose, de l'envie ou de la haine. Ceux-là poussent
les bœufs aux hautes cornes vers les pâturages, ou marchent
derrière l'araire, ou lient les gerbes. Ateph, lui, est chétif et
le père l'a distingué. Et cependant Ateph ne parvient pas toujours à en rappeler les traits, une silhouette seulement, haute,
droite. Et la voix surtout. La voix qui a dit un jour : « Mon
fils, tu ne seras pas esclave. » Ateph n'a pas compris les
paroles. Un ordre ? Comment le père aurait-il pu le lui donner, lui qui sans trêve travaillait pour les autres, pour les
intendants qui ne laissaient après leur passage qu'un peu de
grain ? Et tant de mois de famine où le corps se tordait, où
les dernières forces se rassemblaient pour arracher au voisin
la misérable pitance qu'il voulait protéger. Les enfants qui
criaient sans cesse, les femmes qui gémissaient. Les hommes
qui erraient, prêts à se tuer. Les corps devenus squelettes, qui
bougeaient encore, puis ne bougeaient plus. Et ils séchaient
car il n'y avait plus rien à pourrir. Le père avait-il donc pré-
dit ? Mais Ateph avait-il connu pendant si longtemps d'autre

condition que celle des ouvriers ahanant sous le fouet et dans la fournaise du jour ?

Un héron s'envole en rasant la surface du fleuve. Le moment est venu. Le chemin est court, et cependant si long. Ateph marche avec peine, ses jambes se dérobent mais ses mains sont demeurées fortes et le servent bien. Et elles l'ont sauvé du fouet et de la fournaise. Déjà, comme une nuée d'insectes collés au sol, les ouvriers sont attelés aux câbles, les énormes blocs de calcaire avancent, pouce par pouce, sur les rouleaux. Les poitrines et les dos, bruns et noir d'ébène, déjà ruissellent et saignent. Certains trébuchent, s'abattent, se relèvent, ou non. Les contremaîtres crient et font claquer leurs lanières. Un jour l'un d'eux a conduit Ateph vers des hommes qui taillaient les blocs. Ateph a senti le métal du ciseau dans sa main, le maillet dans l'autre et tout a alors changé. Puis il a palpé le grès, le porphyre, le granit rose, il a appris à attaquer le bloc selon l'entaille la plus franche. Il fallait se protéger les yeux de la sueur, de la poussière, des menus éclats qui sautent et brûlent comme des tisons, résister à la douleur qui paralyse le bras et l'épaule, continuer. Il a appris à polir aussi à très petits coups, jour après jour, jusqu'à ce que la surface devienne douce comme une peau. On lui a donné du basalte si compact qu'il décourage l'ouvrier, mais Ateph a su dans les arêtes brutes faire bomber les torses, galber les membres, modeler les têtes. Et puis on lui a donné la redoutable mission de fixer le visage souverain. Le coup de ciseau maladroit ruine le travail et attire un terrible châtiment. Mais par sa main la bouche et les joues devenaient chair de pierre, le front s'arrondissait sous la coiffe plissée, les prunelles regardaient les autres rives : déjà le dieu-roi entrait dans son éternité.

En arrivant à la hauteur du temple, Ateph tourne un peu la tête. Dans l'ombre la statue veille. D'ici quelques instants l'astre suprême va faire descendre l'or sur la face de la pyramide puis embraser la tête et le corps du dieu sur terre. Tous alors se prosterneront, mais Ateph ne doit pas s'attarder. Déjà une immense clameur sourde roule, s'enfle et retombe. Des hommes escaladent les cubes de pierre, tirent, hissent, glissent en tous sens, redressent, courent ou tombent. D'autres prennent leur place. Cris, appels, grincements de poutres qui s'écrasent et cassent, poussière suffocante. Ateph contourne le chantier où il a connu le lot commun avant d'obtenir le privilège de la hutte près du fleuve, mais ce n'est sans doute pas ce que le père a voulu dire.

Puis un jour on a conduit Ateph à l'entrée sombre, celle où il revient à chaque aube. Sous la longue dalle qui forme linteau, l'ouverture basse, les premières marches d'un escalier. On l'a fait descendre puis arrêté. D'autres hommes l'accompagnaient qu'il avait vus travailler dans le temple. Deux ou trois autres au crâne rasé, des prêtres sans doute, leur avaient noué des bandeaux sur les yeux et la marche avait repris. Descendre encore, monter, tourner, se pencher, descendre, longtemps. Ateph sent la fumée âcre des torches mais il ne faut jamais porter la main au visage. Derrière lui un homme s'est effondré avec une plainte brève sous le coup de poignard. Peut-être a-t-il voulu regarder ou le bandeau simplement a-t-il glissé. Des échos de pas, répercutés ou annulés, les parois proches que l'épaule effleure. Ateph prévoit maintenant chaque variation de l'air, ici plus sec, là un souffle sur la nuque, la chaleur un peu plus forte. Même s'il sent que le chemin n'est pas toujours le même. Il peut en distinguer trois qui en quelques points se recoupent. Les compagnons ont dû s'arrêter un à un dans des embranchements du couloir. Quand il n'y aura plus personne derrière lui et devant lui seul le porteur de la torche, les sons vont s'éloigner et l'air plus vaste l'environner. On lui enlève son bandeau. Les ombres bougent faiblement sur toutes les parois de la salle. Des silhouettes, des figures, des surfaces de couleur. Au centre, l'énorme cube évidé de granit, le couvercle posé à plat sur le sol. Le sarcophage est prêt à recevoir le dieu sur terre quand il voudra entreprendre son voyage. Mais la chambre n'est pas achevée, des plages de mur nu isolent encore les figures. Les bras et les regards se tendent sans se rejoindre. Une fois de plus le prêtre s'impatiente et presse. Ateph écoute, s'incline. Il est maintenant seul. On lui a laissé une provision de torches, une jarre pleine d'eau, un bol de millet. Au tréfonds de la terre avec au-dessus la colossale masse de la pyramide. Ses yeux vont à celui qui le protège depuis le jour où son père lui a donné un nom. Le crâne coiffé d'un bonnet, le corps enserré comme une momie, mais la main tient le bâton surmonté de la crosse en courte spirale : Ptah qui redonne chaque jour la confiance, qui guide le ciseau et le pinceau sur la paroi. Mais aujourd'hui le cœur d'Ateph se serre à lui faire mal. La hutte près du fleuve. Que deviendra le petit muet, si jeune, si faible ? Puis la douleur cesse. Il n'y a plus de soldats avec leurs piques et leurs flèches, ni de fouet pour activer l'attelage trop lent. Des paysans labourent, mais ce sont les champs bienheureux. Ils coupent le blé qui toujours rassasie. Les corolles de lotus s'ouvrent comme des éventails. Des palmes retombent, l'amphore déverse l'eau sur les mains tendues. Les harpes jouent sous des doigts habiles, des danseuses sans voile renversent leur mince taille. Les processionnaires en tunique blanche avancent avec leurs offrandes, coupes, cassettes, plumes précieuses et fleurs. Çà et là des oiseaux à tête humaine, là dans l'angle, plus haut où s'incurve la voûte. Les yeux d'Ateph s'emplissent de larmes. Puis la fresque s'interrompt. Le mur est nu. Là commence le fleuve, la mince ligne vibrante des vagues sur toute la longueur de la barque. Aujourd'hui peut-être il faudra accentuer, creuser le relief et relever un peu l'étrave. Plus tard encore, beaucoup plus tard, teinter d'ocre, de turquoise, toucher de vermillon. Si Ptah accorde la force. Ce sera ensuite Pharaon à la double tiare, les bras croisés sur le sceptre, comme il est déjà dessiné sur la planchette d'esquisse. Puis descendront dans le souterrain d'autres hommes pour faire parler les murs, pour dire avec leur écriture les hauts faits, les louanges, pour graver dans le cartouche ultime le nom sacré. Mais ce sera après lui, des inconnus bien après lui. D'abord la barque avec la longue godille. Peut-être encore, si la main garde son pouvoir, si le cœur bat à coups moins précipités, enfin, la très belle, la toute bonne, la déesse aux cheveux noirs bleutés comme le corbeau qui porte sur son chef le soleil. L'astre qu'Ateph ne voit pas, qu'il ne verra plus puisqu'il va déboucher dans la nuit. La lune si calme l'y accueillera de ses mains blanches. Parmi les flots d'étoiles. Bien plus haut que la pyramide. Au séjour des oiseaux-femmes. Rémiges frémissantes, vastes ailes déployées sur le fleuve et les palmiers et les roseaux et les champs, sur le désert rouge. La poussière, la sueur, la flamme et le sang. Mais là dans la poitrine se plantent les serres. La pierre de feu et de glace. Plages blanches, plages de turquoise, d'ocre et de vermillon. Le jarret tendu, torse droit, le bras levé, la paume ouverte en offrande. Le lotus épanoui. C'est sans doute ce que le père avait voulu dire. Il faudrait relever un peu plus l'étrave. Accentuer le trait.

Arrondir le profil. Ce n'est plus nécessaire. On a hissé la voile claire. On pèse sur le gouvernail. Sous les paupières d'autres prunelles commencent à luire. Dans un souffle, dernier et premier, très doucement, la barque glisse.

Depuis des jours dont il commençait à perdre le compte, il regardait au-delà de l'enceinte du camp qu'il lui était, comme aux autres légionnaires, interdit de franchir. Des rochers gris s'élevaient en falaises, en montagnes qui les enserraient d'un dédale de ravins, de coulées de pierres où parfois se répercutait un écho avant que ne retombe le silence. Et le soleil, d'un point à l'autre du ciel, ne se voilait jamais.

Il levait les yeux vers la paroi verticale, noire dans le contre-jour, vers la citadelle qui la couronnait comme un nid de rapaces. On savait que ses défenseurs résisteraient jusqu'à leur dernier souffle. En haut, ces hommes invisibles mais qui veillaient sans relâche ; en bas, le camp à découvert qui dessinait un carré sur le plateau de pierraille faiblement incliné, où les soldats bougeaient au ralenti sous l'écrasement de la chaleur. Pour lui, il n'était d'autre réalité que cette rumeur vague, cette attente par laquelle la vie à nouveau s'immobilisait.

La suite des événements qui l'avaient conduit là n'était maintenant plus très claire. Ils avaient marché, bien sûr, comme ils l'avaient peut-être toujours fait et le mouvement s'était inscrit en son corps, interrompu par quelques heures de sommeil sans rêves. Parmi tous ces hommes qui n'avaient même plus le goût de parler et n'échangeaient que des jurons en des langues dont ils perdaient presque l'usage, il alignait les quelques soldats sous ses ordres, reprenait le casque, le glaive, le bouclier. Avec les commandements rauques des chefs la marche recommençait dans la poussière et le soleil. En quelques occasions les autres étaient apparus et avaient engagé de brefs combats sans espoir, et les survivants s'enfonçaient dans ces montagnes percées de redans et de grottes où il était vain de les poursuivre. Il y avait eu ce géant roux abattu par une flèche, que le légionnaire avait achevé, le râle qui s'étouffe dans un caillot de sang. Les yeux révulsés de ce barbu dont il avait fait éclater le casque d'un coup de glaive. Le sang qui se fige dans la poussière. Les cadavres grondants de mouches, qui pourrissent sous le soleil. La sueur brûlait les yeux de son sel, ruisselait sous le cuir et l'acier de l'armure. Les yeux se fixaient sur les cailloux et la terre presque blanche des routes, sur les talons du marcheur qui précédait. La soif était sans remède, à peine dissipée par l'eau tiède des outres pendant les haltes. En avant et en arrière ondulait lentement le défilé de ces hommes couverts de métal, hérissés de piques, serrés par les chefs sur leurs chevaux noirs.

Quel était ce pays, quels hommes et quelles femmes l'habitaient ? On disait que vers le nord il y avait des pâturages, des arbres et des champs, un lac grand comme une mer, des montagnes avec de la neige. Quelque part aussi des villes très vieilles, cette cité merveilleuse et sacrée dont la résistance devenait intolérable à l'empereur, qu'il faudrait assiéger, abattre, détruire. Les projectiles tombent des murs d'enceinte. L'épée plonge dans les poitrines, les corps s'entassent. Les femmes traînées par les cheveux et dont on arrache les vêtements. Le sang gluant sur les visages et les tuniques. Les mosaïques des temples et les statues fracassées à coups de marteau. Pendant des nuits, les hurlements, les flammes et la fumée roulent sur les murs. Il n'avait même pas eu à suivre les ordres, la fureur l'avait saisi lui aussi comme ses compagnons, jusqu'à l'épuisement. Mais maintenant il ne restait avec ces marches que la soif, le feu, l'éblouissement qui l'enchaînaient comme un sortilège à un sol inconnu.

Parfois on apercevait des tentes parmi de courts buissons dans les creux du terrain, mais elles avaient été abandonnées et les troupeaux avaient fui. Çà et là avaient dû s'ouvrir des fontaines mais l'eau évaporée n'avait laissé que des croûtes de sel. À l'horizon, ces montagnes vers lesquelles les soldats semblaient se diriger, un désert qui en remplacerait un autre. Ce camp dans la pierraille où une autre routine succéderait à la marche. Un rectangle net dans le chaos des ravins et des rochers. Les chefs avaient commandé de construire le mur d'enceinte, parce qu'il devait en être ainsi pour chaque siège. Ceux de la citadelle n'en descendraient pas et il était peu probable que des renforts tentent de la dégager. Chacun connaissait sa place, invariable, à l'intérieur du camp divisé par l'alignement des armes, de l'autel, des insignes plantés. Les corvées se succédaient. Les points d'eau s'épuisaient l'un après l'autre et devenaient plus lointains, la nourriture toujours plus parcimonieuse. Il fallait fourbir les armes, réparer les courroies brisées, l'acier ébréché. À tout moment les chefs inspectaient et punissaient, pour garder en alerte les soldats que plombait la torpeur des jours. Le soir, certains s'exerçaient à des tours de force ou jouaient aux dés, mais lui se tenait à l'écart le plus souvent. Il mettait en place les sentinelles, d'heure en heure faisait sa ronde, rudoyait les somnolents. Il regardait s'épaissir l'obscurité dans les ravins et, là-haut, s'effacer la découpure du rocher sur le ciel nocturne. Une fois de plus il plongeait dans l'opacité du gris et du noir.

Autrefois, il y avait eu autre chose, certes. Des navires les avaient conduits aux côtes de ce pays, dans l'aveuglant ondoiement de la mer. Des forêts et des fleuves aux frontières de l'empire où l'on construisait des camps et attendait. Des steppes rases d'où surgissaient des cavaliers qui lançaient leurs flèches et tourbillonnaient comme des essaims de frelons furieux. Il ne pouvait plus dire quand tout cela avait commencé, à peine ce qui avait précédé. Un jour l'enrôlement, quand il avait dû suivre les soldats venus le chercher avec les autres jeunes hommes du village. Combien de mois à répéter les mêmes gestes, les alignements selon les exigences maniaques des chefs, les défilés symétriques où il trouvait parfois un certain plaisir. Et les marches qui ne s'interrompaient plus que pour l'enfermement derrière une palissade. Quand son corps se refusait et que la colère en lui hurlait, il avait appris sous le fouet et les privations à se remettre debout et à suivre. Il était devenu plus fort et plus vide par cette discipline qui, disaient si souvent les chefs, assure l'avantage du combat. Jusque-là il avait pu échapper aux traquenards des ennemis, aux blessures graves. Il faisait partie d'une armée qu'on disait invincible.

De plus loin encore venaient des images. La foule se répandait entre les étals des marchands de fruits et de poissons. Des vieillards drapés flânaient sous les portiques de marbre. Un homme ivre — était-ce lui ? — se prenait de querelle dans une rue sombre, roulait à terre, s'y traînait sous les rires des passants. Une autre foule aussi, dans l'arène surchauffée et bourdonnante, se gonfle parfois en clameurs. Tout en bas, petits et perdus, des hommes se combattent. Le trident frappe les poitrines. Des lions et des tigres rôdent

24

autour des prisonniers, bondissent, déchirent, démembrent les corps. La première jeune fille qu'il a dévêtue, cette chair douce où il s'est enfoncé. Il n'a plus connu la femme depuis si longtemps. Pourtant ce n'est pas la brûlure soudaine du sexe qu'il faudrait satisfaire, mais la nuit, quand il cherche le sommeil, trouver une présence vers laquelle étendre la main. Un regard. Le désir même s'éloigne, s'estompe sous l'envahissement de la soif et de l'épuisement qui clouent à ce pays de pierre. Puis encore, la silhouette accroupie d'une femme vieillissante, la main qui lui panse le front, au retour d'une confuse équipée, et qui approche de ses lèvres un quartier d'orange. Elle bouge à peine, elle chantonne un peu, ou peut-être est-elle silencieuse. L'ombre glisse, se répand. On court dans les sentiers pleins de fleurs, les clairières. La main saisit l'écrevisse dans l'eau du ruisseau. À travers les paupières fermées bouge le reflet du feuillage. Mais la douleur vague creuse la poitrine comme un poing qui s'enfonce lentement. La tenace crispation dans le corps qui ne peut plus s'ouvrir. Très loin, du rouge et du noir, très longtemps, avant la violence du soleil. Le rêve, semble-t-il, de cet ancien compagnon de jeu qui se donne la mort. Des pierres dégringolent dans le ravin. Là-haut tournent des oiseaux noirs, les ailes déployées. Ils ne se rendront pas, ces hommes fanatisés par leurs prêtres et par les femmes et les enfants groupés autour d'eux. Sur le plateau sans issue, ils doivent prier en vain leur dieu de colère.

Puis on avait commencé à construire la rampe. Un matin l'ordre avait été donné. Faute d'arbres on ne pouvait dresser les tours d'assaut et il fallait trouver d'autres moyens pour atteindre la citadelle. Le travail de fourmi ne cessait plus. Les légionnaires se relayaient pour transporter les pierres. La nuit on voyait les silhouettes à la lumière des torches, on entendait rouler les blocs. Cela durerait des semaines, des mois, il le savait. À nouveau la soif était plus violente, les bras, les jambes, les reins douloureux ne se détendaient plus quand il se couchait pour quelques heures, à même le sol. Les yeux suivaient le plan oblique ; parfois on essayait de calculer le temps qu'il restait. L'écart diminuait, pierre à pierre, entre la rampe et la falaise. Ceux de là-haut, ceux qui avaient survécu à la faim, devaient regarder monter la mort.

Bientôt ce serait l'escalade. Il faudrait à nouveau tuer, égorger comme des bêtes les derniers défenseurs vidés de leurs forces mais farouches, peut-être des femmes, des enfants, des vieillards. Le triomphe serait facile. Quelque part en ses terres dont on ne connaissait pas les limites, l'empereur se réjouirait que cette poignée de fanatiques ait cessé de ternir sa gloire. Toute la nuit on pillerait, on brûlerait, on boirait jusqu'au délire. Il s'y abandonnerait aussi, une fois de plus. Son seul pouvoir ne serait jamais que d'aligner quelques hommes de troupe exténués, il ne possédait rien, il n'avait pas d'amis, n'avait jamais eu d'enfant. Plus tard, s'il y avait un plus tard, comme tous ces soldats vieillis et inutiles, il errerait d'un village à l'autre, où l'on ne voulait pas d'eux, il irait se tapir dans quelque cabane. La cendre continuerait à s'accumuler en lui. Entre des pas sans nombre il laisserait quelques cadavres de plus. La marche allait reprendre après la tuerie. On se massait dejà au pied de la rampe. Mais la délivrance ne viendrait pas. Il se savait condamné à la prison du soleil et de la pierre, indéfiniment.

L'hiver n'était pas achevé, mais le temps radouci rendait ma chevauchée moins éprouvante. Les épreuves, certes, je les avais acceptées, recherchées même, mais je me réjouissais de ce bleu plus fort dans le ciel.

Les jours précédents, une neige fine était tombée sans discontinuer, dérobant le faîte des arbres. L'obscurité descendait plus encore et c'était comme si j'eusse dû me baisser pour me glisser sous un voile gris. Les taillis s'entremêlaient aux branches basses et les troncs étaient noirs. Je souhaitais que quelque chose en surgît mais cela me semblait refusé. J'avais bien aperçu à distance une forme immobile, mais à mon approche elle avait disparu. Ce devait être un cerf de grande taille portant d'immenses bois. Ainsi la noblesse et la beauté m'avaient effleuré en une éphémère vision, ou je le crus. Puis plus rien, et je désespérai de sortir de la forêt. Peut-être me fallait-il encore longtemps y marcher.

Le froid se glissait sous ma cotte de mailles malgré le manteau que j'enroulais autour de moi. L'air était si humide que la nuit je renonçais à allumer le moindre feu et je somnolais en selle.

Je faisais toute confiance à ma monture. C'était une bête loyale, franche comme l'or et en maints combats et aventures j'avais éprouvé sa vaillance. Sur sa robe alezane elle portait mes couleurs, du violet avec un lion et le croissant lunaire qu'une main attentive avait brodés pour moi. Sans faux pas, sans écart brusque, mon cheval savait trouver dans la forêt les passages les plus praticables. Je lui laissais donc souvent les rênes sur l'encolure, m'en remettant à lui de la route.

Le silence m'avait tenu sous son poids comme un charme qui m'engourdissait. Des pensées et des images confuses m'agitaient. C'est dans cet état que je vis se dissoudre peu à peu le voile gris sur les sapins et s'éclairer le ciel. J'en recevais maintenant des rayons, presque de la chaleur. Ainsi nous sortîmes du couvert des arbres pour déboucher sur un large espace vide : un lac gelé. J'hésitai à m'y engager, peut-être parce que je ne pouvais juger de la solidité de la glace, peut-être aussi parce que la neige qui la recouvrait était immaculée. Mais mon cheval ne me laissa pas me perdre dans mes réflexions. Il commença à traverser. L'autre rive portait, mélangés aux sapins, des feuillus dénudés qui faisaient paraître plus légère la forêt. Le soleil projetait au sol notre ombre qui nous précédait à pas réguliers. Il me semblait qu'en moi aussi le voile s'était levé.

À nouveau nous entrâmes sous les arbres, mais ce côté-ci, comme je l'avais deviné, était bien différent. Je ne voyais plus des taillis épaississant un dédale de troncs noirs mais des branches d'où pendaient encore quelques feuilles de l'automne, pâlies, presque transparentes, et même des grappes de baies d'un rouge sang. La neige sur les ramures des sapins y faisait des architectures arrondies et délicates. L'air circulait partout.

Je m'arrêtai. Mon cheval dansa quelques pas pour marquer son contentement. J'avais soif et je portai à ma bouche une poignée de neige, avant de mordre dans le quignon de pain séché qui me restait. Je ne m'inquiétais pas trop de l'épuisement de mes ressources : j'étais habitué à peu et même le jeûne ne m'effrayait pas. J'entendis alors une note aiguë suivie de deux autres plus sourdes, presque enrouées. Je levai les yeux et reconnus juste au-dessus de ma tête une mésange. Elle renouvela l'appel que je la sentais m'adresser. J'émiettai un peu de mon pain et tendis ma paume ouverte. La mésange hésita, plongea pour atteindre une branche basse puis vint se poser sur ma main, enserrant un doigt de ses petites pattes griffues. Elle me regarda un instant de son œil brillant comme une minuscule perle noire, choisit une miette puis s'envola. Elle revint après quelques secondes alors que d'autres approchaient et s'enhardissaient à leur tour. Je fus bientôt environné de brefs froufroutements qui se succédèrent jusqu'à ce que les dernières miettes de pain eussent disparu. Cette animation me réjouissait le cœur. Les mésanges voletaient parmi les branches alentour, se perchaient pour lancer leur chant et s'éloignaient. Je les entendis encore après que je fus remonté en selle pour continuer ma route.

Un peu de neige se mit à tomber, ou plutôt à flotter entre les arbres, à peine des flocons et au-dessus de cette impalpable blancheur je devinai que le ciel demeurait dégagé. L'air faisait bouger l'écorce des bouleaux soulevée en menues lanières. La lumière baissait très doucement. Il me semblait que la nuit se posait avec des précautions infinies sur la forêt, sur la terre.

Le chemin montait. Je pouvais en entrevoir parfois le sommet, de hautes murailles sombres avec, çà et là, une ouverture par laquelle passait une lueur, d'un âtre ou d'une lampe. Le château, encore une fois, ne m'offrirait qu'une halte pour la nuit, mais mon ombre sur le champ de neige, mon cheval, le fidèle compagnon, et les mésanges, tout cela ne m'avait-il pas déjà donné une réponse ?

Les hivers et les étés ont passé sur les montagnes depuis que je suis avec mes moines. Quel village se souvient maintenant de Nicolo, quel pays le revendiquerait comme un de ses fils ? Toujours errant, toujours poussé ailleurs, je crois avoir enfin trouvé le havre ultime. Presque septuagénaire, mais chargé de merveilles plus encore que d'années. Certes pas celles que j'ai accomplies. Quelles traces le misérable Nicolo laissera-t-il ? Où sont ses œuvres ? Oublions cela. Je n'ai jamais aimé pleurer sur moi. Il serait trop tard pour le faire, et bien vain.

J'étais fort mal en point quand ils me trouvèrent sur les chemins d'Ibérie où je partageais le sort de ces roulants si nombreux en ces temps de troubles et de disettes. Combien en ai-je croisé de ces vagabonds, pèlerins vrais ou faux, béquilleux, contrefaits, loqueteux, affamés, anciens galériens, soldats à louer, tous sans feu ni loi. Oui, j'étais devenu comme eux et n'en pouvais plus. Au fond de moi j'avais résolu d'en finir, de me coucher pour une dernière halte dans un taillis comme un vieux chien boiteux. Je n'en fis rien, le froid peut-être, et je continuai. Je pouvais encore un peu voir ma route mais l'un de mes yeux s'était éteint déjà, celui qui avait reçu un coup du plat d'une épée dans une échauffourée. Maintenant l'autre s'éteint à son tour et il fait sombre mais je crois que je n'en ai plus besoin. Ils me ramassèrent sur le revers d'un talus où je m'étais assis, grelottant. Comme le

31

breuvage qu'ils me donnèrent était fort ! J'en garde encore dans la gorge la brûlure qui m'a fait renaître. Ils m'enveloppèrent d'une couverture et me hissèrent sur l'un de leurs mulets. Je tenais tant bien que mal l'équilibre quand nous nous sommes mis à gravir des pentes plus abruptes. La neige les couvrait déjà et il en tombait encore à gros flocons. Puis les rafales ont commencé à tourbillonner. Les moines allaient à pied, tout penchés et blanchis sous leurs capuchons pointus mais ils insistèrent pour que je demeure sur ma monture. Enfin on a entendu une cloche dans cette ouate. Nous étions arrivés. Il y avait une grande cheminée où flambait un tronc d'arbre, de la soupe chaude. Et j'ai dormi, longtemps, longtemps comme je n'ai plus dormi depuis. Maintenant c'est plutôt comme si je me tenais parmi de hautes tentures noires qui parfois s'écartent un peu et se referment. Ou une sorte de poussière qui se répand partout.

Aux premiers temps, dans l'abbaye, je pouvais encore me promener alentour, pas trop loin du gros clocher carré sur le piton rocheux. Les moines avaient été bien audacieux de venir bâtir ici, dans cette sauvagerie en pleine montagne. Bien avisés aussi. Les bandes de pillards auraient eu fort à faire pour les en déloger et même les y surprendre. On m'a expliqué qu'on pouvait commander tous les environs, surtout le sentier muletier qui passe en contrebas. On peut aussi facilement secourir les pauvres égarés qui en saison de froidure ne manquent pas dans les parages. Les marchands avec leurs ballots d'étoffes, leurs sacs de sel, leurs barils pleins de vin. Les pèlerins sur le chemin des indulgences. Pour ceux-là la porte de l'abbaye s'ouvre toujours. On ne demande rien en échange de l'hospitalité, une obole ou, pour ceux qui le peuvent, un don destiné à soulager d'autres traîne-misère. Ces moines savent bien s'organiser. Il me semble que rien ne manque dans notre retraite haut perchée. Avec le lait de leurs chèvres ils font des fromages ronds et durs comme des galets, mais savoureux. Ils vont cueillir des plantes qu'ils laissent macérer dans l'esprit-de-vin. Parfois ils me font goûter un peu de leurs produits. Quels arômes, et quel bien-être quand cela descend dans le corps ! Ils comptent aussi des potiers qui tournent presque à longueur de journée en dehors des offices. J'aime caresser ces vases aux vernis délicats, ces argiles durcies, ces glaçures. J'étais un peu gêné d'être ainsi entretenu, d'avoir toujours une soupe, des légumes, parfois un petit morceau de viande, leur ordinaire donc, et une paillasse proche de la cheminée. J'ai voulu d'abord leur conter mes histoires, mon histoire, une façon de payer mon écot, puisque c'est tout le bien que j'aie jamais amassé. Au début j'en ajoutais un peu, plus d'or, de marbres, de villes grandioses, de magiciens étonnants, mais j'ai bientôt cessé. Il me semblait que je ne devais pas m'adonner à ce jeu. Et pourtant c'est ce que mes auditeurs attendaient, les novices d'abord et même les plus âgés. Ces grands enfants voulaient que je leur parle des contrées où les hommes n'ont qu'un œil ou qu'une jambe, où les arbres portent émeraudes et rubis comme le pommier ses pommes, de griffons, de sphinx et autres licornes. Je n'ai rien vu de tel. S'ils existent, je ne sais où. Je ne suis peut-être pas allé assez loin dans mes voyages.

Mais la terre tient en réserve des prodiges bien plus grands. Elle est autour de moi, dans ce perchoir des montagnes, entre ces hauts murs de forteresse. Je la sens dans ma chair. Quand il fait beau le matin, un des plus jeunes moines vient me chercher pour me conduire dans la cour du cloître. Je suis certes capable de m'y rendre seul, en suivant les couloirs, mais j'aime ce Francis qui ne se laisse pas troubler par les médisances des autres. Il me fait asseoir près du même pilier, me souhaite la paix en mon cœur et se retire. La paix, oui, dans ma solitude. Avec les hirondelles et les martinets qui rasent les tuiles en criant. Tout ce bleu du ciel que je devine ou me remémore. Et le figuier qui a réussi à pousser là, à l'abri des vents, contre les pierres chaudes. Les feuilles se balancent au-dessus de moi, ombres puis lumière, puis ombres. Comme des vagues lentes. Avec presque toujours, et sans que je sache pourquoi, une odeur de safran. Alors cela commence et se déroule pendant des heures. Des vagues douces et légères, des caresses. C'est étrange, maintenant je les entends partout alors que Dieu sait s'il y a eu de la violence dans ma pauvre vie. Des coups, des chaînes, des armes, du fer, du sang et des massacres. J'avais cru enviable d'abord le sort de mercenaire. La pitance assurée, du mouvement, des écus, ceux qu'on nous promettait ou ceux qu'on gagnait au jeu, le vin, les femmes prêtes à se donner ou celles qu'on prend de force, les compagnons de toute provenance, les joyeusetés des bivouacs. Oui, mais après... Inutile d'en parler à ces innocents. Et mieux vaut refermer le couvercle. Si je peux. La nuit, c'est plus difficile, au milieu du sommeil. Les épées et les flèches sifflantes. Les haches qui s'abattent sur les casques. Un épieu dans le crâne. Une tête tranchée net dans un jet de sang. Et la poussière. Les mouches folles. La puanteur des charognes. Les gémissements de ceux qui appellent la mort. Et ces hordes de cavaliers avec leurs boucliers ronds et leurs cimeterres, les diables de l'enfer qui déferlent. Ils arrivaient du fond du désert. Certains disaient qu'ils sortaient du sable et des rochers tels les scorpions. C'était l'ouragan, un déluge de dards, de hennissements, de hurlements. Après nous comptions nos morts et nous achevions les cavaliers noirs qui étaient tombés.

Et cependant, comme les brutes et les manants autour de moi, et dont j'étais, comme n'importe lequel d'entre eux quand la fureur les poignait, j'y ai eu mon plaisir. Pour un temps. Un temps trop long. D'une armée, d'un prince à l'autre, peu importe lequel. Un soir je me suis esquivé — les armées semaient ainsi leurs hommes —, caché dans les bois, tapi comme un renard jusqu'à ce qu'ils aient levé le camp avec leurs oriflammes pour d'autres tueries. Des plaines avec de hauts arbres très droits dont les feuilles tremblent même quand il n'y a pas de vent. Des lacs, presque des marécages où des hommes ont planté des pilotis pour leurs cabanes. La faim. Les chiens ont les crocs acérés et les yeux sanglants, des loups errent aux confins des forêts. Les sapins dressés dans la neige. Les sangliers furieux chargent, éventrent les chiens, roulent sous l'épieu qui vient de les clouer. Un immense silence avec des corbeaux, un silence qui n'aura peut-être plus de fin, dont je ne sortirai peut-être jamais parce que je suis condamné. Parce que je suis un pécheur sans rémission. Les corbeaux m'attendent sur les arbres, puis ils descendent vers moi, ils sont pour moi. Maintenant c'est le brouillard sale au long des pentes, un brouillard de crépuscule mais j'entends des vagues. Pas le clapotis des lacs sous le vent mais de larges vagues de l'océan. Je suis donc arrivé au bout de la terre. À l'entrée des ténèbres. Plus loin, le chaos où se perdent les âmes et d'où nulle n'est jamais revenue. Le sommeil pèse, m'engourdit. Mes jambes, mes bras, mon corps, comme après une bataille, après des coups à n'en plus finir, après des marches à n'en plus finir. La flamme d'une chandelle toute faible mais droite. Le vieux est assis sur un escabeau, je ne le vois que de dos. Sur la table près de la bougie, une coupe ouvragée qui s'élève et rutile. Une lueur de rubis et de saphir comme dans les églises, les vitraux que traverse un rayon de soleil. Non, c'est la nuit. Mais sur mes lèvres des gouttes de vin, des perles, une à une. Brûlant nectar. Au creux de ma main une orange à la chair humide comme si elle saignait. Des figues chaudes de toute la chaleur du jour. Cependant le pauvre figuier perdu n'en donne plus, disent-ils. Et d'où vient cette senteur de safran ? Là-bas les caravanes ne transportent pas du sel ou du fromage mais des épices précieuses, des brocarts à fils d'or, des soieries qui coulent entre les doigts, des étoffes si rares que seuls les grands de ce monde peuvent les porter. Des tapis plus souples que les mousses pour leurs pieds. Des mantes en plumes de colibri pour abriter leurs épaules. Pour leurs femmes des bracelets d'or pur, des colliers d'ambre, des parfums qui envoûtent. Près du lac elle est sortie de l'ombre des tamaris. En s'approchant de moi elle a levé son voile. Quand j'ai vu ses yeux et sa bouche j'ai eu envie de dire noir, noir, rouge, très fort, de crier au dedans de moi. Le chemin monte vers la citadelle, dans la pierraille coupante et les éboulis. Des géants l'ont construite il y a très longtemps avec des blocs si bien jointoyés qu'on ne peut y insérer la lame d'un poignard. Dans la muraille il n'y a ni pont-levis ni herse et la porte est large ouverte. Pas de guetteur aux créneaux. Pas de piaffements, de gourmettes secouées, d'armures qui s'entrechoquent, d'odeur de cuir et de crottin, mais une autre odeur que je connais bien, la puanteur et les essaims de mouches dans le soleil. Aucun survivant. Plus bas, au creux des collines, des huttes calcinées, des carcasses de bêtes pourries. L'affreuse faucheuse a passé. Il ne faut pas boire l'eau des puits, pourrie elle aussi, empoisonnée. La dernière outre est crevée. Le désert est partout autour de nous. Il brille et brûle comme un miroir. Sur le sable la trace ondulée des serpents et les roses de pierre, les paillettes luisantes comme mille feux. Dans le ciel l'embrasement, un immense cri silencieux qui va percer les tympans. Il faut s'envelopper le visage pour éviter le souffle des génies, le frôlement des ailes invisibles. Regarder droit devant soi, ne pas se retourner car ils se posent toujours derrière les voyageurs. Sur la dune, de minuscules créatures bougent, de lents animaux bossus avec des hommes encapuchonnés. Ils croient que je dors parce que je demeure près du pilier. Mais j'entends leurs socques sur les dalles et les gros chapelets de buis qu'ils nouent à la ceinture. Je peux prendre l'écuelle pleine d'eau posée à côté de moi. Je l'agite très doucement avant de boire pour entendre le petit clapotis, j'en fais tomber quelques gouttes sur mes doigts. Transparente, amicale, toujours pure et précieuse. Claire comme ce regard d'enfant en haillons qui marchait dans les labours d'automne et qui soudain s'est tourné vers moi. Quelque chose alors m'atteignit, je ne saurais dire quoi, cela venait d'ailleurs. Et la voix de Francis quand il s'informe de mon état ou quand il murmure quelque prière. Il ne doit pas connaître beaucoup de latin et on ne l'emploie pas à recopier les manuscrits savants, mais il fait ses corvées en louant le Seigneur. Parfois je le sens rêver à côté de moi, tel ce musicien qui jouait du luth, tout près du lac aux rives basses où parfois les oiseaux s'abattaient. L'enchanteur aux yeux tendres. Pas comme ces magiciens qui se font des colliers de reptiles puis les jettent à terre où ils se transforment en bâtons. Pas comme ce gueux qui promène son ours par une chaîne passée dans le naseau plein de vermine et le fait danser. Tous ces esclaves qui portent leurs fers et qu'on traîne vers le marché et la foule grouillante. Les captifs blonds des steppes, les noirs d'ébène aux lourds muscles luisants. On les vend, on les achète, on les échange comme des tapis ou des harnais. Peu s'en fallut que je connusse leur sort. La poussière monte au-dessus de la place, des cris, des bousculades, des tentes, des étals de viandes, de fruits inconnus. La foule s'écarte et se tait devant les cavaliers en armes sur leurs alezans. Sous le dais porté par quatre serviteurs, le dignitaire enveloppé de soieries. La foule s'incline. Ils sont passés. La cohue se referme. Elle se masse vers les quais. On apprête les échelles, les cordages, les barils, les grands paniers tressés parmi les barques et les mâts qui oscillent. À l'entrée de la rade, trois grosses nefs pansues. Sur chaque voile une croix verticale rouge. D'un port à l'autre, au long des côtes. Il faut esquiver les récifs où nichent les goélands, tout cernés d'écume, repérer les brisants, ceux surtout qui se cachent sous l'eau et ouvrent la coque comme le couteau éventre le bœuf abattu. Ne pas éveiller les calmars monstrueux qui, de leurs tentacules, engloutissent les vaisseaux et les équipages. Résister aux rafales qui rompent cordages et gréements, attendre qu'un souffle se lève après des journées de calme torride. Ne pas apercevoir à l'horizon les voiles triangulaires des pirates barbaresques, la mort noire qui tombe avec ses dards et son feu. Mais dans les îles les oliviers donnent l'huile claire et fleurissent les amandiers. Les pêcheurs tirent leurs filets pleins de poissons. Leurs écailles renvoient le soleil comme l'acier ou le vermeil. Et soudain dans les premiers rayons du matin, la ville blanche de tout son marbre, le port, les arcades, les palais, les places avec leurs statues, les ponts, les canaux, les dômes. Un nom fabuleux sur toutes les lèvres. Comment dire alors ce qui gonfle le cœur, ce qui enlève pour un temps la misère et la souffrance, les vilenies, les traîtrises, les fautes. Mais elles ne sont pas effacées. Elles sont inscrites là dans la poitrine, comme elles le sont au grand livre céleste. Cet homme sur ses béquilles que tu as frappé parce qu'il te demandait une aumône. Cet enfant que tu n'as pas voulu nourrir et qui gémissait dans la cabane. Tout le vin dont tu t'es saoulé. Tes blasphèmes, les coups que tu as donnés, tes fornications. Il y a eu cette femme qui t'avait fait confiance. Mais le vieux et ses fils toujours à quémander et harceler. C'était une bonne femme mais elle ne voulait pas quitter son lopin de choux. Je lui ai laissé ma bourse, — pas bien lourde et était-ce la mienne ? — et je suis parti une fois de plus. Nicolo, Nicolo, où es-tu ? Crois-tu t'en tirer ainsi ? Personne ne m'a appelé. Qui maintenant aurait besoin de moi ?

Les ombres sont plus épaisses. Francis, le brave garçon, vient me chercher pour me conduire dans le coin de la cuisine où je recevrai ma soupe. Il me reconduira ici au matin, seul fidèle. Au début les autres approchaient et m'interrogeaient. Aux récréations parfois ils faisaient cercle et je racontais. Les villes, les foules, les châteaux et les églises, les richesses entassées, les caravanes, les déserts redoutables, les mers éblouissantes et les tempêtes, les coutumes, les lois, les vêtements et les armes, les puissants de la terre dans leur faste, la chrétienté dans sa gloire. J'invoquais les Saintes Écritures mais je savais que je ne pouvais tout dire. Que les Maures sont cruels mais qu'ils construisent des palais, des jardins avec des fontaines, que leurs médecins sont savants, habiles leurs orfèvres et leurs armuriers. Ils portent sur leurs oriflammes un croissant, ils ont reçu eux aussi un prophète, ils adorent un dieu unique. Et à une autre extrémité de la terre, non pas dans les brouillards obscurs où gronde l'océan boréen, non pas sous les tropiques qui font sans cesse tomber le feu, mais dans les contrées qui mûrissent les fruits rares, qui donnent la soie, les épices, les parfums, d'autres hommes vivent et meurent sous d'autres princes et d'autres dieux. Ils leur dressent des autels et des statues aux yeux fermés. Cette figurine de jade qu'un marchand tenait au creux de la main. Dans ces pays elles sont hautes comme les temples creusés dans les collines. Comme ce Bouddha tout resplendissant d'or face à la mer, que j'ai vu une nuit en songe. Je n'ai pu m'empêcher de m'en ouvrir un peu aux moines. Dès lors ils se tiennent à distance et ils passent, tout à leurs affaires. Le prieur les a rappelés à l'ordre. On garde encore le souvenir d'une grande hérésie qui a allumé les bûchers dans les montagnes voisines. Il ne faut pas trop remuer les cendres. Les tribunaux font bonne garde et les bruits courent vite. Je l'ai compris à quelques mots de Francis et encore plus à ses silences. Si obéissant, mais si courageux de veiller sur moi comme à l'accoutumée.

Parfois il y a du monde autour de moi, des cohues, des clameurs, des troupes en marche. Avec des armures brillantes et des trompes, des chariots qui grincent, des chevaux caparaçonnés, des femmes, des vieux sur leurs bâtons, des enfants teigneux, de la piétaille et des piques, des paysans avec leurs faux et leurs fléaux, des gentilshommes à pourpoint, des silhouettes grises à bonnets pointus, des tuniques, des drapés sur l'épaule. Cela sent la sueur, le cuir chaud, la crasse, la fumée, la poussière. Je me retourne. Il n'y a plus personne. Les autres se sont évanouis dans l'air, perdus dans les forêts ou engloutis par les cavernes de la terre. Plus de compagnons. Pas de guide. Je marche avec mes chausses usées, je marche pieds nus, je marche les pieds couverts de croûtes et de sang. Que de foules et que de solitude en ma vie. Un chevalier à contre-jour sur le ciel, dans la même direction, à ma droite, à ma gauche. Disparu lui aussi, un mirage, une diablerie. Je touche la pierre chaude, mes doigts suivent le fût d'un pilier. Quand je me lève, je peux atteindre le petit chapiteau où sont sculptés des torsades, des palmes,

des sarments entrelacés. Pilier par pilier je fais ainsi le tour
du cloître. J'ai découvert des rouelles, des croix, des griffons, des agneaux, des ailes, des personnages que ma main
ne parvient pas à identifier. Je devine parfois aux claque-
ments de leurs semelles que les moines retiennent un peu
leurs pas pour m'observer. Francis me conduit vers les cha-
piteaux qui racontent les paraboles. Je comprends son intention mais il est si discret. Dans sa candeur il devine, je suis
sûr, tout ce que je ne peux dire. Sa main tremble encore un
peu après l'orage terrible de la nuit. On ne pouvait dormir.
Les pics se renvoyaient la foudre et les décharges descendaient dans les vallées en grondements qui n'en finissaient
plus. Les moines parlaient du courroux divin. Entre les coups
de tonnerre je les ai entendus chanter à la chapelle. Plus fort
que d'habitude. Presque comme dans ces églises avec des
clochers qui ressemblent à de gros oignons dorés près d'un
fleuve qui charriait des troncs d'arbres et de l'eau boueuse.
Au-dessus des officiants écrasés sous leurs chasubles, les
voix qui ronflent dans les volutes de l'encens vers la voûte
où le Seigneur immobile dans sa majesté regarde de ses
larges yeux. Il regarde les pauvres, les éclopés près des
portes, ceux qui n'osent plus entrer, ceux qui voudraient se
jeter dans l'eau sale du fleuve. Pour échapper aux signes du
ciel pendant la nuit de la comète qui lançait ses flèches, ses
croix, ses torches. Ceux qui n'ont plus qu'un bras, qui se
traînent sur leurs moignons, qui bavent, toussent et crachent,
ceux sur qui l'on crache. Leurs yeux sont éteints, la vermine
ronge leur âme. Ils demandent le pain que les chiens ont
laissé, la dernière place près du feu. Pour quelques instants
jusqu'au lendemain. Peut-être ne se réveilleront-ils pas. Ils
ont marché toute leur vie, ils ne se souviennent plus du lieu
de leur naissance ni de leur mère. Nicolo, près du pilier tu

voudrais te laisser glisser à terre, te coucher ou te mettre à genoux ? Est-ce que ce sont là les merveilles que tu as rapportées ? Les moines t'ont demandé si tu avais vu Jérusalem. Tu n'as pas répondu, tu as voulu gagner du temps, une fois de plus. J'ai vu des mers et des vaisseaux, des forêts impénétrables, des hommes redoutés en leurs palais, des caravanes qui traversent les déserts, des sources et des oiseaux de paradis, des femmes belles qui répandent des parfums, des musiciens, des cathédrales, des remparts, des ports et des îles, des montagnes et leurs glaces. J'ai vu la puissante Venise au milieu de ses lagunes, j'ai vu Constantinople qui derrière sa muraille défend ses trésors contre les hordes sauvages. Mais je n'ai pas vu Jérusalem. Je ne suis pas parvenu au centre du monde. Autour de toi certains disent que tu n'as pas vu tout ce que tu racontes. On s'éloigne, on retient encore les mots de menteur, d'illuminé. Peut-être ont-ils raison. C'est maintenant sans importance. J'entends la cloche. Francis va venir bientôt. Il doit avoir les mêmes yeux que le petit paysan dans les labours de l'automne.

Quand on l'a conduit dans le premier cachot, on lui a fait descendre une suite d'escaliers étroits et glissants. La porte s'est refermée dans un fracas de fer et de verrous. L'obscurité était totale. Ses yeux s'ouvraient pour rien. Ses mains palpaient la pierre humide jusqu'à ce qu'il sombre dans une autre nuit.

Après la condamnation, on l'a conduit dans cet autre cachot voûté. Une meurtrière est pratiquée dans la muraille juste au-dessus d'une hauteur d'homme. Quand il a la force de se hisser jusqu'au rebord, appuyant ses pieds aux encoches que d'autres prisonniers ont fini par creuser en répétant ce même geste, il peut empoigner le barreau. Pendant quelques secondes il peut alors voir à l'extérieur une avancée du mur, avant de se laisser retomber. Sur la paroi voûtée, on a gravé des noms, des signes inconnus. Et à l'endroit où tombe le rayon de la meurtrière, on a dessiné une forme qui figure peut-être quelque autel.

Quand on le conduira à l'exécution, il rassemblera ses forces afin de marcher droit. Parmi la foule une femme s'avancera alors pour lui donner une fleur ou pour lui cracher au visage.

Cette demeure pourrait convenir, au moins pour un temps. Ce fut selon toute apparence une ferme, maintenant abandonnée. J'ai fait le tour des quatre ou cinq bâtiments qui la composent, dispersés un peu au hasard sur un terrain retourné à l'état de lande avec des genêts et de la bruyère. Tous vides, mais vastes et clairs, de cette clarté un peu étouffée du bois qui a vieilli et, pourrait-on dire, mûri. J'ai vérifié de plus près les fondations de ce qui devait être la grange. Sur le socle en pierres des champs reposent les lourdes pièces de bois chevillées. La hache les a sommairement équarries, enlevant à peine l'écorce. Un coup d'œil à la charpente d'où pendent encore des touffes de foin desséché, aux poutres assemblées à l'ancienne. Cela tient bon.

Puis je suis allé à la lucarne au fond de la bâtisse et j'ai vu la mer. Je ne la pensais pas si proche. La grange la surplombe presque de cette falaise rocheuse. Les vagues en touchent le pied, toutes calmes, avec juste un peu d'écume pour marquer leur mouvement. Mais à l'époque des équinoxes elles doivent se déchaîner. Je comprends maintenant pourquoi les bâtisses ont pris cette couleur sous l'effet du vent et du sel. Pourquoi aussi il fallut les planter si solide. Je remarque d'ailleurs que d'autres bâtiments ont fléchi. L'un est proche de l'effondrement, mais il résiste à l'oblique, peut-être depuis bien longtemps. De l'eau a envahi un angle du plancher, des infiltrations de pluie, sans doute, ou des sources de surface. Je m'en tiendrai donc à la grange, aérée comme je l'aime. Quelques tentures pourront faire une alcôve et rendront le lieu fort habitable. Au moins pour un temps.

Le crépuscule fond en une masse sombre la neige entre les maisons, les façades et le ciel. Des silhouettes emmitouflées de fourrures passent lentement à ce carrefour. Certaines s'arrêtent et échangent à mi-voix des paroles gutturales. Malgré l'heure tardive il n'y a pas de lumières aux fenêtres. Et ce doit être ainsi dans les rues voisines, dans les quartiers plus éloignés, jusque vers les abords du fleuve gelé. Et le noir vient encore. Mais maintenant la place monte légèrement avec ses pavés arrondis vers le château où un garde rouge et noir se tient immobile. Derrière la grille paraissent les arbres et les bassins du parc. Peut-être autrefois en ces parages y a-t-il eu des émeutes, naissance d'un écrivain, des hommes qui se cachaient dans les ruelles et les greniers. Qui pourrait le dire ? Ici la lumière est vive, la chaleur lourde. Cependant les gens rencontrés n'en semblent pas incommodés. Ils sont nombreux, une véritable foule, mais sans hâte. Les visages aux yeux un peu bridés sont calmes, parfois souriants, les cheveux d'un noir luisant. Un homme marche à quelque distance, et qu'il faudrait suivre malgré la foule. Voilà qu'il a disparu alors que les maisons s'ouvrent en une avenue plantée d'arbres et qu'un portique — une poutre sculptée posée à l'équerre sur deux colonnes — marque l'entrée du lieu nouveau.

Il est peut-être déjà venu dans cette ville, et dans celle-ci, et également dans celle-là.

Dans l'amphithéâtre ils se trouvèrent voisins, à ces places entre ciel et terre qu'il affectionnait : pas trop près de l'estrade pour pouvoir rester spectateur, point trop haut pour ne pas être dérangé par la rumeur de l'auditoire. La première fois fut de pur hasard, dans la mesure où Kléber se permettait cette expression, tant il avait appris à en suspecter le contenu. La salle s'emplissait peu à peu et les conférences étant très suivies, toutes les places seraient bientôt occupées. Quand elle vint s'asseoir à sa gauche, Kléber ne put s'empêcher de remarquer qu'elle aurait fort bien pu choisir une autre rangée. Elle s'installa sans lui adresser le moindre regard ni signe de tête, déjà tout attentive, les mains croisées sur les genoux. Point de sac à main ni de carnet de notes. Des cheveux bruns bouclés, une peau mate sans maquillage. Il l'aurait trouvée belle n'eussent été l'attache du nez peu marquée qui aplatissait le profil dans la ligne du front et, comme il le vit plus tard, un léger strabisme.

Le conférencier fit son entrée et le bruit des conversations s'apaisa. Homme fluet et de courte taille, il approchait de la vieillesse mais il se planta face à la salle d'un air impérieux, presque conquérant, et sans autre préambule attaqua. Il recourait à tout le répertoire du professionnel de la parole, faisant alterner la caricature qui déclenche le rire et le jugement péremptoire sous lequel la salle, d'abord suspendue, respire d'aise. La jeune femme ne paraissait pas réagir à cet art, ou à ces procédés dont son voisin reconnaissait l'efficacité. Des applaudissements se firent entendre. Elle se leva, eut un sourire à l'endroit de Kléber mais avant qu'il ait pu le lui rendre, elle s'était esquivée.

La semaine suivante, bien avant le début de ce qu'il ne pouvait s'empêcher de nommer la représentation, Kléber attendait dans la salle. D'une attitude qu'il voulait distraite, il demeura à moitié tourné vers la porte par où entrait le public. Il ne la reconnut pas immédiatement quand elle vint s'asseoir à son côté, comme la première fois. Un ruban noir enserrait ses cheveux, elle portait des lunettes à monture de métal et du rouge vif découpait ses lèvres. Un tailleur aux couleurs des feuilles de l'automne mettait en valeur la finesse de sa taille. Ce soir-là à nouveau, elle ne sembla pas d'abord remarquer son voisin mais à la fin de la conférence, elle lui dit au revoir.

Il en fut de même pendant des semaines. Kléber s'accoutumait à ces bizarreries de la jeune femme. Il en venait à souhaiter chaque fois être pris au dépourvu. Premier arrivé, il s'installait à une place toujours différente et cependant elle le trouvait sans paraître le chercher ni hésiter. De la sorte, il ne savait trop s'il voulait la déjouer, la mettre à l'épreuve, voire la fuir, ou simplement, par une constante et mutuelle provocation, entrer dans son jeu. Quand elle s'asseyait à côté de lui, elle était l'étrangère. Elle portait des vêtements, une coiffure, des bijoux chaque fois nouveaux. Tournée vers le conférencier, sans un signe de distraction, elle demeurait immobile. Le discours terminé, elle prenait congé de son voisin par un sourire, un regard, un au revoir. C'était l'instant unique, la part qui lui était réservée et que, il le sentait bien, il aurait été vain d'essayer d'élargir.

Cette fraction de seconde, Kléber en faisait maintenant le point culminant de la semaine, la sanction et la récompense. Il avait d'abord tenté de s'en défendre puis, peu à peu, il acceptait, se soumettait, se disant peut-être au fond de lui qu'il faisait partie de la vie de la jeune femme, qu'il lui était nécessaire. Mais il n'aurait su dire en quoi, ni si c'était là espoir ou illusion.

Les rites étaient ainsi fixés, l'attente préliminaire dans le brouhaha de la salle, les places chaque fois changées, le côtoiement pendant que l'orateur déployait ses phrases comme des banderoles, puis le contact interrompu. Peut-être après tout venait-elle pour écouter ce petit vieillard si sûr de son verbe. Il ne manquait pas dans l'auditoire de ces femmes qui, parfois sur le tard, glanaient une culture dont les tâches quotidiennes les avaient longtemps tenues éloignées. Le conférencier savait saisir ce public avide et gagné d'avance, succès facile auquel il était manifestement habitué. Kléber n'aurait pas dédaigné cette reconnaissance, ces applaudissements, lui qui avait œuvré en des tâches obscures. À certains moments il lui paraissait qu'il pourrait un jour occuper l'estrade, et alors lui aussi retenir le regard de la jeune femme. À d'autres moments il se satisfaisait de ces échanges presque muets, comme des antennes vibrantes qui s'approchaient au point de se toucher et à la dernière seconde se rétractaient, se fuyaient pour recommencer leur avance prudente. Il voyait bien qu'il n'avait pas l'initiative du jeu et qu'en fait, il cédait à une sollicitation impérative, sans en connaître l'enjeu ni la direction.

Le thème des exposés variait d'une semaine à l'autre ; il y était cependant toujours question d'œuvres passées, comme si l'orateur avait interrompu ses propres lectures au siècle précédent. Il prenait plaisir à évoquer des figures, personnages et auteurs, qui avaient eu maille à partir avec leur époque, les conventions de leur milieu, le pouvoir politique, voire la justice. Il faisait alors claquer au-dessus de l'auditoire un « Zeitgeist » dont il appréciait l'effet. Ainsi défilaient simples bretteurs et purs héros, marginaux, redresseurs de torts et martyrs cachés. Mais quand il entamait ce qui s'annonçait comme un éloge de leurs homologues féminins de l'histoire ou de la fiction, amantes exaltées, hégéries ou suffragettes, c'était pour, en fin de compte, prouver qu'elles s'étaient discréditées, avaient trahi leur cause ou, surtout, causé la perte d'un compagnon.

À quel moment fut prononcé au fil du discours ce nom de Rachel ? Comme si une faible décharge électrique le lui avait commandé, Kléber tourna alors la tête vers sa voisine. Il crut percevoir que ses yeux avaient cillé derrière les lunettes d'écaille qu'elle portait ce soir-là. Un bref instant, avant qu'ils reprissent leur concentration.

Ce prénom, tout comme ceux de Rebecca, de Sarah, de Ruth, provoquait toujours chez lui une légère crispation, voire un recul dont il attribuait vaguement la cause à l'âpreté des consonnes, à l'éclat cuivré des voyelles, à moins que ce ne fût à leur origine. Sans égard pour la tradition, il prêtait à ces femmes légendaires un pouvoir presque brutal contenu dans leur nom.

Il n'en fut plus question dans l'exposé du conférencier. Cependant les deux syllabes continuaient de rouler dans l'esprit de Kléber. Il ouvrit des dictionnaires qui ne lui dirent rien qu'il ne sût déjà : personnage biblique, tragédienne qui eut son heure de gloire, — une gravure la montrait avec des bandeaux noirs sous une coiffe à l'orientale, des yeux perçants, une bouche autoritaire. Non, ce n'était pas cela. Il se rendit à des bibliothèques, consulta, compulsa répertoires, dossiers, mémoires. Il se résignait à son insuccès qu'il jugeait inévitable, et pourtant s'obstinait. Puis en feuilletant un recueil de mornes souvenirs, un de plus, il lut dans une note en bas de page ce prénom que ne suivait aucun patronyme. Cette Rachel avait donc vécu au siècle dernier. Elle était issue de la bourgeoisie cultivée et traditionaliste d'une petite ville d'Europe centrale. Sa forte personnalité, sa vitalité jointes à une humeur batailleuse l'avaient menée à des conflits ouverts avec son entourage. Elle paraissait s'être livrée, entre autres, à des activités quasi clandestines, reliées sans doute à la cause sioniste. Sa trace se perdait. On présumait qu'elle avait franchi les frontières et qu'elle était morte à l'âge de cinquante-quatre ans en des circonstances inconnues. Kléber relut ces lignes qui tenaient de la fiche de signalement et de la notice nécrologique, mais elles étaient confuses, comme si l'auteur eût voulu masquer son ignorance ou comme s'il se fût retenu d'en dire plus. Le reste du livre, signé manifestement d'un nom de plume, n'était qu'un assemblage de souvenirs mondains avec des allusions voilées aux malheurs de l'époque et à la misère de l'auteur. Il y avait eu selon toute apparence une relation, une certaine forme de connaissance entre Rachel et cet obscur mémorialiste.

La jeune femme ne vint pas à la conférence suivante. Alors l'imagination de Kléber se mit à galoper. Il lui prêtait des noms, lui inventait un passé. Après des années d'ennui conjugal dans un pavillon de banlieue elle vivait maintenant seule dans une chambre mansardée tendue d'étoffes précieuses. Des masques faits d'ébène et de coquillages y étaient accrochés, qu'elle avait rapportés de lointaines croisières, ou d'une périlleuse traversée du continent noir. Son accent aux inflexions germaniques ou slaves disait ses origines mélangées, ses errances. Elle avait dû affronter la violence des éléments, le désir des hommes. Elle cédait parfois, selon son bon vouloir, pour leur dérober quelque secret qu'elle transmettait à des instances occultes et puissantes. Puis elle s'échappait et nul ne pouvait la retenir.

Ainsi Kléber attendait le retour d'une aventurière, d'une courtisane de haut vol. Quand à nouveau elle vint s'asseoir à ses côtés sans lui adresser le moindre signe, il émanait d'elle non cette radiation charnelle qui était devenue nécessaire à Kléber, mais une sorte d'éclat froid. C'était comme un pouvoir séparateur, une force térébrante rassemblés dans le regard dont Kléber sentait toute la paralysante intensité bien qu'il ne fût pas dirigé vers lui.

Ce soir-là le conférencier commentait un récit récemment découvert dans des archives non encore inventoriées : il s'attribuait le mérite de la trouvaille et celui d'en avoir montré l'importance. Texte de jeunesse d'un écrivain qui avait connu, sinon la gloire, du moins une appréciable renommée à la fin du XIXe siècle avant d'entrer dans les limbes de l'oubli. Injustement, précisait le conférencier, et il prouvait comment le récit, malgré ses approximations, annonçait « irréfutablement » la suite de l'œuvre. Kléber, engourdi, regardait le vieil homme s'exalter de ses paroles et de sa pédante suffisance. Il fut tiré de son immobilité glacée à l'instant même où le nom du personnage était prononcé. Il entendit « Leyia ». Ce fut la même décharge minuscule et pourtant irrésistible qui avait accompagné le surgissement de Rachel. Et il crut percevoir que la main de sa voisine ébauchait un geste, une détente de l'index qu'elle ramena aussitôt.

Il entendit d'autres mots qui évoquaient des yeux noirs comme des abîmes, des cheveux de jais lissés en bandeaux, une rhétorique complaisante dont le caractère désuet, qui le tenait habituellement à distance, cette fois-ci le ravissait. Il sentait ces traits s'enfoncer en lui à vif. Le conférencier abordait maintenant sa péroraison, ce sujet exceptionnel qu'il n'avait fait qu'effleurer, il le reprendrait. Il sembla à Kléber que ces paroles venaient soudain de très loin. Elles s'éloignaient encore, se répercutaient dans des bruits d'écho. Il lui fallait partir dans cette fraction de seconde avant que la salle se remît à bourdonner. C'était son ultime chance. Il se leva presque d'un bond, s'écarta de sa voisine comme s'il eût voulu échapper à un courant d'air glacé. Il se hâta vers la sortie et franchit les portes qui se refermèrent sur les femmes de la nuit.

On en parlait depuis des semaines ou des mois mais sans qu'on pût dire où ces bruits prenaient leur source. C'était comme ces feux cachés qui se déclarent un peu partout avant que la lande s'embrase. Ces événements qu'on croit isolés, ces spasmes qui s'emparent d'un pays avant une guerre, déjà jetaient les gens sur les routes. Des fermes éloignées, des villages et, dans les villes, des quartiers se vidaient puis, au gré des transits, retrouvaient de nouveaux occupants. On partait par familles ou entre voisins, avec des vivres, des objets dont on ne voulait pas se séparer. On les entassait à côté des jeunes enfants sur des carrioles et l'on se mettait aux brancards. Les petits groupes se croisaient, s'aggloméraient, cela devenait presque des colonnes qui se fractionnaient à nouveau. D'un bivouac à l'autre, on allait selon les rumeurs ou l'aspect du pays. Une fièvre sourde commandait de ne pas s'immobiliser trop longtemps.

G. avait suivi l'exemple. Laissant derrière lui ses outils, ses toiles inachevées, tous ses livres, il n'avait emporté que son sac à dos. S'il cédait à l'entraînement, il savait bien qu'il en tirait profit et qu'il ne répondait pas qu'au simple besoin de sa sécurité. Après des années de tâches sédentaires, il prenait le premier chemin qui s'ouvrait, seul, ou il se joignait à un groupe de hasard. Inquiet mais léger, il se donnait ainsi au tout-venant.

Il sillonnait les plaines, suivait les rivières, contournait les bois ou s'y engageait pour trouver un abri. Selon les heures et les jours, le va-et-vient sur les routes devenait plus rare ou plus dense, au point de se figer. Çà et là, des véhicules de tout ordre recueillaient les vieux, ou les très jeunes, les malades ou les plus débrouillards. G. y recourait à l'occasion. On échangeait des mots et des regards, du désir ou de la méfiance, avant de se séparer.

G. traversait des petites villes dont souvent il ignorait le nom. Des esplanades, des édifices à colonnes et coupoles, des demeures ceintes d'une galerie, parfois une placette avec sa fontaine de pierre sous les tilleuls qui commençaient à se dénuder. Des enfants jouaient dans les cours, des ouvriers creusaient ou échafaudaient. G. aurait aimé vivre dans ces villes, ou y avoir vécu. Entrer dans ces demeures, contempler ces édifices, marcher dans les parcs aux pelouses jonchées de feuilles sous la bruine. Mais là, soudain, c'était le silence de l'abandon. Il repartait.

Une fin d'après-midi G. s'était arrêté dans une maison à quelque distance d'un village, en bordure de route. Désertée depuis peu, elle avait dû servir de halte ou d'auberge. Deux ou trois tables encadraient la porte qu'on n'avait pas verrouillée. Il s'assit, mangea un peu pour reprendre des forces puis décida de passer la nuit dans l'une des chambres vides où il trouva une paillasse crevée. Le soir était tiède. G. s'attardait sur le seuil, parcourant des yeux la plaine, les champs où parfois la récolte avait pourri sur pied, le village avec son clocher d'ardoise, les premières maisons. Il aperçut alors dans cette direction quelque chose qui s'élevait vers le ciel, un nuage de poussière ou de la fumée. Il y avait là-bas une agitation, des remous, puis tout redevint calme. Un peu plus tard, dans la ligne droite de la route, il vit approcher un petit groupe, sept ou huit personnes qui marchaient avec peine sous le poids de leurs bagages et de la fatigue. En arrivant à la hauteur de l'auberge, ils s'arrêtèrent et regardèrent du côté de G. comme s'ils attendaient son invitation. Il leur fit signe. Aussitôt ils vinrent déposer leurs sacs avec des paroles de remerciement. G. leur dit que la place ne manquait pas dans la bâtisse. Ils y entrèrent.

G. demeura seul avec un jeune garçon d'allure souffreteuse qui portait une de ces pèlerines austères mais enveloppantes comme en avaient les écoliers d'autrefois. Il s'assit, enleva son béret qui cachait à peine une tignasse presque rousse. L'enfant avait le visage tacheté de son, les oreilles un peu décollées. Il n'était pas beau mais ses yeux étaient doux, et ils regardaient G. avec reconnaissance.

Il sortit alors de sous sa cape un petit instrument de musique qu'il plaça sur ses genoux : c'était un bandonéon. L'enfant l'étirait, le refermait, bientôt tout absorbé dans les sons qu'il en faisait naître. Les autres s'affairaient à l'intérieur de la maison, dans les chambres ou la cuisine, sans paraître se soucier de l'enfant. L'obscurité était maintenant tombée mais il continuait à jouer. C'étaient de lentes mélodies mélancoliques et cependant pleines d'une énergie tendre. Enfin le jeune garçon replia une dernière fois le soufflet de l'instrument et se tint immobile comme pour laisser aux notes le temps de se dissoudre complètement dans la nuit. Puis il salua G. d'une inclinaison de la tête et se leva.

Un peu plus tard G. alla s'étendre sur sa paillasse. Les chambres voisines étaient silencieuses et l'enfant avait dû lui aussi s'endormir. G. garda les yeux ouverts dans le noir. Enfin il les ferma. Oui, le temps des labeurs et des conquêtes était passé. Maintenant il lui semblait que le bandonéon déroulait devant lui le ruban d'un autre chemin.

Le 20 avril à six heures moins le quart de l'après-midi, Horacio Calvati reçut la première image. Plus tard il se souvint de ce détail car en l'instant même il regardait la pendule qui le délivrerait bientôt d'une autre morne journée de bureau. Et c'était jour de son anniversaire, qu'il célébrerait comme les précédents, seul dans sa chambre devant un verre de vin. D'ailleurs la pluie et le vent qui soufflait en rafales n'incitaient pas à d'autres réjouissances. Triste printemps, cette année encore. Aussi quand surgit en lui une plage dorée battue par des vagues bleues sous les palmiers, il eut le sentiment qu'un cadeau lui était fait. Sa mémoire sans doute ramenait une de ces affiches qui dans les agences de voyages allèchent les oisifs fortunés. Il en eut le cœur plus léger et la soirée fut presque heureuse.

La seconde image arriva quelques jours plus tard. Il achevait de se raser face au miroir quand il vit distinctement une noce qui posait pour la photo : des campagnards alignés devant une église, tout engoncés dans leurs tenues du dimanche. Il ne reconnaissait personne. Ce ne pouvait être son propre mariage, célébré à la sauvette il y avait bien longtemps, avant qu'il prenne la fuite. Un souvenir que lui aurait montré un collègue ? Il n'en fréquentait aucun avec qui il eût été assez intime. Ce n'était pas non plus l'œuvre du photographe devant lequel il passait parfois, celui-là faisant dans le portrait d'apparat colorié et léché à souhait. La photo était en noir et blanc et les costumes passés de mode depuis au moins deux générations. Cependant il eut l'impression vague qu'elle ne lui était pas complètement étrangère. La mariée s'était détournée et sa tête se perdait dans le flou. Tout en redoutant un peu de s'attarder, Horacio aurait voulu scruter de plus près le visage du marié mais l'image disparut avant de lui en laisser le temps.

Rien ne se produisit dans la semaine suivante. Horacio avait presque oublié les vues quand d'autres surgirent coup sur coup. Sur un terrain de football un gardien de but plongeait pour arrêter le ballon qui menaçait ses filets. Une locomotive entrait sous la verrière d'une gare parmi des jets de fumée. Le marteau d'un commissaire-priseur allait s'abattre pour adjuger un tableau. Dans la pénombre rougeâtre d'une scène une effeuilleuse détachait le dernier triangle pailleté. Tout cela se fixait comme des instantanés ou des cartes postales vives qui disparaissaient avec la même soudaineté qu'elles venaient. Si Horacio essayait de les ramener, les motifs se dérobaient mais il lui en restait des impressions qui l'inquiétaient vaguement, comme des rappels des manques dans sa vie. Autrefois il avait été actif et même plein d'une énergie qui le portait aux entreprises risquées. Cela avait peu duré. Passé la vingtaine il avait glissé dans une routine étroite ponctuée par les horaires du bureau et les retours à la chambre. Son quotidien était sédentaire, modeste sinon pauvre et, malgré quelques satisfactions vénales à l'occasion, chaste. Il ne recherchait ni les voisinages de palier ni les vantardises et les drôleries des collègues. Quand on voulait l'aborder ou le serrer de trop près il s'excusait de quelques mots confus. On le jugeait tout au plus un peu sauvage mais inoffensif. Personne ne semblait se plaindre de lui ni vraiment le remarquer.

Un soir, alors qu'il s'engageait sous la porte cochère de son immeuble, il fit un écart pour éviter au dernier instant une passante puis il se retourna. Il n'y avait là qu'un tas de cartons vides que les éboueurs enlèveraient. Pourtant il avait bien vu la vieille dame toute menue avec son sac à provisions, qui habitait la rue voisine. Horacio se sentit irrité contre lui-même comme le visiteur d'un musée de cire qui se laisse tromper par un mannequin posté dans l'ombre. Le lendemain dans l'autobus il s'abandonnait au balancement du véhicule. Quand il ouvrit les yeux il vit sur la banquette qui lui faisait face la vieille dame tenant son sac sur les genoux. Horacio se pencha un peu, avec l'intention de lui dire un mot ou de lui demander l'heure. Il entendit murmurer autour de lui et ne vit que la banquette inoccupée. Quelques voyageurs se tournaient vers lui et souriaient d'un air entendu. Il fit mine de chercher une pièce de monnaie qui aurait roulé sous le siège et descendit au premier arrêt. Le soir même, alors qu'il allait s'endormir, il lui sembla qu'approchait à vive allure l'entrée d'un tunnel ouvert dans les rochers. Une secousse le dressa dans son lit. En vain il essaya de trouver le sommeil et il en fut de même la nuit suivante.

Horacio demanda et obtint sans peine un congé, prétextant une faiblesse passagère, des étourdissements. L'atmosphère du bureau, à l'accoutumée ronronnante, lui paraissait d'ailleurs plus tendue. Un répit lui serait salutaire, il en profiterait pour dormir et flâner sur les berges de la rivière. L'air et la vue des eaux lentes lui étaient toujours bénéfiques. Il repoussa l'idée d'aller consulter, la peur du diagnostic l'emportant encore sur celle de la maladie. Et puis rien dans son état ne nécessitait pareille démarche.

La tranquillité des premiers jours parut justifier pleinement sa décision. Le printemps avait enfin viré au beau durable et le soleil invitait aux promenades. Horacio pouvait observer le mouvement des embarcations sur la rivière. À la terrasse des cafés il s'attardait, suivant du regard les femmes dans leurs robes plus légères. Puis il rentrait, se préparait un repas sommaire, se mettait au lit.

Horacio respirait mieux et se voyait tiré d'un mauvais pas. C'est presque avec plaisir qu'il reprit le chemin du bureau. L'ambiance ne s'y était pas améliorée, les méprises et les accrochages s'y multipliaient. Un document déclassé demeurait introuvable, on découvrait dans une corbeille les morceaux d'une lettre confidentielle. Une main distraite sur un clavier effaçait les chiffres que réclamait le directeur. Le chef de service arrivait de son bureau, les sourcils froncés, avant de semoncer le personnel, entre quelques coups de téléphone aigres. Horacio se faisait oublier au milieu des dossiers en souffrance mais il ne pouvait échapper à la fébrilité hargneuse qui avait remplacé l'habituelle maussaderie. Chacun défendait son quant-à-soi et au moindre prétexte sortait les griffes.

À nouveau les journées parurent bien longues à Horacio et le refuge de sa chambre encore plus désirable. L'horloge semblait ralentir quand approchait la fin de l'après-midi. À six heures moins le quart, alors qu'une fois de plus il vérifiait l'heure, une image arriva. Un vagabond pouilleux le fixait, la bave aux lèvres, la trogne marbrée de veinules. Les yeux méchants se plissèrent alors que la bouche s'ouvrait sur des chicots noirs. Puis la tête disparut. Horacio sentit la sueur lui couler aux aisselles. Cela recommençait donc, comme la première fois. Il fallait sans doute éviter ces coups d'œil à l'horloge, ne pas tenter le sort.

Les images survinrent dès lors en succession rapprochée, à toute heure de la journée puis de la nuit. Elles assaillaient

Horacio en quelque lieu qu'il se trouvât. Il éparpillait des dossiers d'un geste brusque, manquait la marche en descendant de l'autobus, multipliait les impairs. Il remarquait bien les regards désapprobateurs ou ironiques de l'entourage mais il ne s'en préoccupait plus guère. Il lui semblait d'ailleurs qu'on l'observait moins et que les autres avaient fort à faire pour eux-mêmes. Au bureau on ne s'étonnait plus des sautes d'humeur ou des bizarreries. Chacun semblait se demander si dans la seconde à venir le voisin allait lui éclater de rire au nez ou l'invectiver. On évoluait dans cette agitation permanente et, pour ainsi dire, on s'y installait.

Au début Horacio s'était vu spectateur des images. Elles apparaissaient détachées de lui comme sur un écran intérieur, en plans fixes qui s'étaient ensuite animés. Des paysages qu'il avait peut-être aperçus sur des affiches ou des albums, des scènes dont il avait pu être témoin en passant, ou qu'on lui avait racontées, ou bien complètement ignorées, inconnues comme ces êtres qui les jouaient. Cependant il distingua sans erreur possible ses deux sœurs en robes fleuries, un oncle et l'ami de celui-ci sous la tonnelle où lui-même avait coutume de s'asseoir pendant les après-midi d'été. Le groupe bavardait gaiement mais il y avait aussi un homme de haute taille portant monocle et gibus comme au siècle dernier. Il regardait avec insistance Horacio et quand celui-ci fit mine de lui adresser la parole, l'homme se leva et s'éloigna. Les autres n'avaient rien vu, ils continuaient de bavarder, ils n'avaient pas vu Horacio.

Il avait voulu croire que tout cela était fortuit et pouvait advenir à chacun dans les moments de surmenage, produit par des soucis qui troublent les humeurs ou par des facteurs climatiques mal identifiés, telle la recrudescence des taches solaires qui perturbe le comportement humain. À considérer la nervosité générale on était probablement entré dans cette phase. Des collègues peu enclins à livrer leurs états d'âme faisaient allusion à des insomnies, des idées folles et ils feignaient d'en rire. D'autres se fermaient plus hermétiquement encore dans la forteresse de leur « vie personnelle ». Dans les édifices publics où quelque démarche appelait Horacio, on se lançait des propos acerbes avant de retomber dans une pesante morosité. Il se surprenait à répliquer ou tournait les talons en maugréant. Tantôt un peu amusé, tantôt de plus mauvaise grâce. On le répétait autour de lui, il y a des moments dans la vie où tout paraît à l'envers et — la constatation l'avait d'abord réjoui — il n'était pas le seul dans cette situation. Mais ces faibles défenses volaient maintenant en éclats : les images, il le sentit d'un coup, lui étaient *destinées.*

Horacio se tenait en alerte, semblable au grand malade qui ignore à quel moment l'éclair de la douleur va lui traverser la poitrine, mais qui sait qu'il va être déchiré et qui attend. La nuit il s'enfonçait dans la torpeur des somnifères ; il en remontait en sueur, la tête douloureuse. Des étourdissements le prenaient dans la journée, qu'il avait d'abord essayé de combattre par des promenades. Mais il ne constatait plus la coïncidence entre le repos ou l'activité et le surgissement des images. Le plus souvent, en dehors du bureau, il se blottissait dans un fauteuil, enveloppé d'une couverture.

Puis il y eut une accalmie. Horacio connut des nuits et même des journées sans incident. Il crut reprendre des forces et un peu de confiance. Mais visiblement l'inquiétude montait autour de lui, dans la ville et au-delà. Les salles d'attente dans les cliniques et les pharmacies ne désemplissaient pas. Certains recouraient aux bons vieux remèdes d'autrefois, herbes, potions, eau bénite ou formules conjuratoires.

D'autres faisaient allusion à de mystérieux antidotes qu'ils réservaient à leur usage personnel. On s'échangeait des recettes avec des airs de conspirateurs. Trafiquants et charlatans réalisaient de substantifs bénéfices avant de s'évaporer à leur tour.

Horacio subit un nouvel assaut. Il se voyait marchant dans les rues de villes qu'il savait fort bien n'avoir jamais visitées. Le détail d'une façade, une fontaine qui ne coulait plus, des autos d'un modèle périmé, un homme traînant une lourde caisse, tout cela arrivait en une séquence serrée. Ou il se trouvait pris dans une foule mouvante que la colère agitait et d'où montaient des vociférations. Horacio avait peur d'être renversé, piétiné. Mais aucune vue ne se rapportait aux lieux où il était allé au cours de ses rares voyages. C'est comme si on eût voulu glisser d'autres cartes dans le jeu qu'il avait en main, lui substituer d'autres souvenirs. Mais pourquoi ceux-là, quel mécanisme travaillait là ?

Au bureau comme dans les autres services, le personnel s'absentait à tout moment sans même fournir de prétexte. D'ailleurs on se souciait peu que le courrier fût à jour et les échéances respectées. On avait bien d'autres chats à fouetter. Le ban et l'arrière-ban des experts rameutés exposaient devant les micros et les caméras des théories définitives sur ce que l'on s'obstinait à nommer « les incidents ». D'autres, modestement, s'avouaient préoccupés et l'on comprenait qu'eux non plus n'étaient pas hors d'atteinte. On interrogeait des vedettes du spectacle et du sport, des politiciens à la retraite, des gens dans la rue. Gesticulations, visages défaits, haussements d'épaules, bavardages confus composaient les réponses. Mais partout on réclamait des enquêtes, des interventions, des mesures urgentes et radicales. Et chaque jour les autorités déléguaient leurs porte-parole qui se répandaient en discours ou exhortations emphatiques. On leur riait au nez.

Chacun retournait à ses insomnies et à ses hantises qui se déchargeaient parfois en explosions de frénésie. On en venait aux mains dans les rues. La police appelée de partout laissait finalement les belligérants régler eux-mêmes leurs comptes. Alors qu'on se doutait bien que chacun souffrait du même mal, les langues ne se déliaient pas, que ce fût peur du ridicule ou crainte superstitieuse d'attirer sur soi des épreuves encore plus redoutables.

Elles avaient pris pour Horacio une tournure nouvelle. Une sorte de brouillard cotonneux les précédait, déposant dans la bouche l'amère sensation qui accompagne les fortes poussées de fièvre et les délires. Puis il se dissipait, ou plutôt se coagulait en formes qui se définissaient lentement, mouvantes et visqueuses comme un liquide sirupeux. Ainsi émergeaient des personnes qu'avait côtoyées Horacio, voisins, compagnons d'enfance, femmes d'une nuit. Tous reconnaissables sans erreur et cependant différents, parfois difformes : une cicatrice gonflée balafrait un visage, un œil manquait, une bosse surmontait le crâne, un bras inerte pendait, les pieds se tournaient vers l'intérieur. Comme si ces êtres avaient subi une opération manquée, une blessure inguérissable ou une paralysie, ou même quelque radiation délétère qui aurait rendu monstrueuse la source de vie. Parfois encore revenaient les défunts, la sœur aînée qui maintenant riait d'un rire silencieux de folle. La mère, la douce dame, se muait en harpie ou en reine maléfique. Le père, si effacé et débonnaire, se dressait, sans visage, le poing levé comme un marteau prêt à s'abattre.

Se pouvait-il donc que ces êtres aimés vinssent à Horacio avec tant de colère et de haine ? Autrefois cependant, il devait se l'avouer, il avait fui devant des regards qu'il ne reconnaissait plus, soudain chargés d'une force redoutable qui le terrorisait. Il se sentait alors anéanti. Mais cela ne durait que quelques secondes, les regards redevenaient bienveillants comme les paroles. Il avait oublié. Dans sa solitude il avait tellement besoin de ses souvenirs. Et voilà que son enfance se troublait maintenant de ces boues et de ces laideurs.

Tout d'abord Horacio avait cru que les images n'étaient pas les siennes : elles se rencontraient là comme si quelqu'un les eût abandonnées. Désormais il ne pouvait plus se rassurer à si bon compte. Étaient-elles donc à ce point étrangères puisqu'il ne pouvait les identifier ? Puisque surtout il était personnellement atteint, et blessé ?

En sortant un matin de son immeuble il vit un cycliste qui s'éloignait à lents coups de pédales. Déjà il allait tourner au carrefour, de sorte qu'Horacio ne pouvait l'apercevoir que de dos. Mais c'était bien cette allure nonchalante d'un homme à qui l'énergie fait toujours un peu défaut, sa longue silhouette efflanquée : lui-même. Horacio sentit sa respiration s'arrêter et comme l'on fait en pareilles circonstances, il se frotta les yeux. Dans les rêves parfois il s'était vu ainsi, propre spectateur de son double, et des livres lui avaient confirmé que le fait est commun. Mais ici, en plein jour, dans la rue ! L'attaque était directe et le frappait de plein fouet. Horacio avait remarqué que certaines images arrivaient ensemble, serrées et rapides, et se dispersaient ou se pulvérisaient. Puis d'autres leur succédaient dans un intervalle de longueur variable et toujours imprévisible, fortement accentuées, violentes même, et qui le laissaient pantelant. Mais d'autres lui étaient plus redoutables. À vrai dire ce n'était pas encore des images. Sur le point de le devenir mais qui ne prenaient jamais corps. Impossibles à décrire ou à saisir : il ne pouvait même affirmer si elles relevaient de la vue ou d'un autre sens. Fragments de ce que peut-être il avait vécu, épaves flottant dans les limbes de la mémoire ou prémices de ce qui lui adviendrait. Comme un crépuscule intérieur, une conscience active mais privée de substance. Si seulement il arrivait à attraper l'un de ces filaments ténus qui s'enchevêtraient et à l'identifier, il serait libéré, ou du moins soulagé de son angoisse ! Mais qu'arriverait-il si tout cela se poursuivait, si cette agitation impalpable n'avait plus de fin ?

À quoi tendait-elle et quelle issue prévoir sinon le désordre sans remède et sans retour, pire que la mort, la folie ? Cela se faisait pas à pas, usant les défenses, touchant avec une précision extrême au point où pourrait se produire la rupture. L'idée vint à Horacio, avant même qu'elle se répandît dans le public, d'un plan, d'une stratégie. On s'enivrait maintenant d'un vocabulaire militaire. Les tirs groupés d'images ou le coup par coup touchaient leurs cibles et de même que dans les guerres modernes une action en terrain circonscrit sert de banc d'essai avant l'embrasement général, on se croyait à la veille d'une catastrophe telle qu'on n'aurait jamais pu en imaginer. Les prophètes de malheur tenaient désormais le haut du pavé. Aujourd'hui la ville, la province, demain... On se voyait sous des nuées de plomb. La violence éclatait dans les foyers, on ne comptait plus les suicides. Les accidents dans les rues, sur les routes ou les voies ferrées grossissaient chaque jour les listes des victimes. Les autorités avaient renoncé à publier des chiffres, les camouflages étant depuis longtemps devenus dérisoires.

Une question tournait maintenant sans relâche dans les esprits : s'il y avait un « plan », celui-ci avait bien un auteur. Qui avait conçu et qui réalisait cette « escalade graduée » d'une démoniaque efficacité ? Les précédents conflits internationaux avaient révélé des ambitions qui ne visaient à rien moins que l'hégémonie totale, et les armes disponibles paraissaient pouvoir l'assurer. Mais du moins les belligérants, si sournois et retors fussent-ils, luttaient à visage découvert : on les voyait, on les connaissait, les partis avaient leurs chefs, leurs agents de la propagande, leurs sbires, une hiérarchie, une idéologie, des mots d'ordre. Voilà que la menace se tenait dans l'invisible. Les hypothèses délirantes galopaient. On ressuscitait les vieilles fables des sociétés secrètes, des pouvoirs aux mains d'instances aussi irrésistibles qu'occultes. On parlait des maîtres du monde, voire de l'intervention des puissances extragalactiques ou d'une autre dimension du réel. Horacio n'avait jamais fait grand cas de ces romans et ses crédulités restaient dàns les limites du raisonnable, mais il se voyait ébranlé. Si après tout... Et d'abord il y avait l'intolérable souffrance de chaque jour. L'arme l'infligeait au point le plus frémissant, elle trouvait en chacun la faille la plus cachée. Il ne restait donc qu'à subir et à désespérer.

Après son rapide souper Horacio s'abandonna à un engourdissement qui lui tenait désormais lieu de sommeil. Mais ce soir-là il prolongea sa veille, sans motif défini. Aucune tâche ne le sollicitait. Le désordre de sa chambre l'indifférait, la lecture ne lui donnait que d'éphémères distractions. Il s'apprêtait à une autre nuit d'alarme car il savait que les images venaient habituellement à l'instant où il eut été prêt à dormir. Peut-être voulut-il gagner un minime sursis. Au temps de sa jeunesse il était parti en randonnée en haute montagne et sa mémoire en gardait une trace nette. Elle en avait même fait un événement de sa vie. Il y revenait avec prédilection quand le quotidien l'étouffait de sa grisaille. La longue montée à travers les derniers pâturages, puis les sapins, la pierraille déboulante et enfin, soudain révélé au creux du cirque couronné de neiges, le lac rond aux eaux turquoise. Horacio le gardait devant ses yeux et un peu de calme lui venait alors. Ce soir-là encore il refaisait l'ascension des montagnes quand commença à sourdre en lui le brouillard bien connu. L'effilochage nauséeux se condensait déjà en formes inquiétantes, presque mais pas tout à fait humaines. Horacio résista. Il s'efforça de maintenir sa vision propre une seconde, quelques secondes de plus, comme un homme cramponné au rebord d'un toit, les bras, tout le corps tordus de douleur, qui repousse l'instant de la chute. Il voyait les cimes enneigées d'autrefois ; il se souvint que dans le ciel de plein jour le croissant pâle de la lune était à la verticale du lac. Alors les formes troubles du brouillard s'immobilisèrent, se fondirent, réabsorbées dans le gris qui à son tour s'effaça. Horacio, à bout de force et en sueur, retomba sur son lit, laissant une paix l'envahir et le conduire au bord des larmes. Il s'endormit.

Il s'éveilla dans un état indéfinissable. Son calme n'était plus l'abattement au seuil de la journée. Une agitation le prenait parfois, tel un spasme dont on ne sait s'il marque l'épuisement de la force vitale ou son retour. Pur hasard, se disait-il, ou illusion, seulement un répit dont il ne pouvait douter. Cependant l'impatience le gagnait comme si de toute urgence il eût appelé une preuve. Il refermait derrière lui la porte de sa chambre quand une image violente le frappa : un homme pointait vers sa gorge une lame effilée. Horacio eut un geste de recul en même temps que surgissait en lui un lac montagnard qui brillait de ses eaux turquoise. Alors l'homme éclata en petits fragments. C'était bien cela ! Seul dans le couloir désert de l'immeuble, appuyé contre le mur, Horacio attendit les autres assauts. Sitôt qu'il allait baisser sa garde, ils se produisaient. Il se reprenait alors. D'autres souvenirs lui parvenaient, un coin de roseraie dans sa floraison, la table familiale au moment du souper. Il les essaya, chaque fois avec succès. Les autres images cédaient, se pulvérisaient comme une fusée interceptée en plein vol.

Horacio se sentit victorieux. L'ennemi chercherait sans doute à le surprendre : en vain, il lui faudrait abandonner la partie ! Dans la rue Horacio voulut arrêter les passants mais ceux-ci ne tournaient même pas la tête. Horacio hâta le pas puis se mit à courir. Les collègues et les autres, toute la ville, tous ceux qui se résignaient... Il allait leur parler et il verrait enfin dans leurs yeux se rallumer la vie.

Je continuai à explorer la ville alors que le soleil se couchait du côté du fleuve. Établie en larges perspectives qui l'aéraient et lui donnaient un air de noblesse, la ville était belle. Des avenues nombreuses permettaient une circulation sans encombrements et sans fébrilité. Je passais devant des colonnades classiques qui bordaient des cours dallées de marbre, des palais dont on avait fait des musées, des églises à coupoles dorées. Je suivais des allées d'arbres qui, au delà des parcs, conduisaient à des édifices où siégeaient les gouvernants.

Des canaux que commandaient écluses et passerelles amenaient des navires jusque dans la vieille ville. On lui avait conservé tout son caractère. Les maisons y portaient de hautes fenêtres à croisillons et des pignons de bois ouvragé. Elles abritaient des boutiques qui offraient les commodités modernes dans un décor presque humble, et je vis des échoppes d'artisans qui, en d'autres lieux, eussent semblé désuètes. Là encore régnait une activité intense mais réfléchie. Les piétons que je croisais paraissaient d'origines diverses mais chacun dans cette ville semblait trouver sa place heureuse.

J'étais parvenu à un autre quartier alors que le soleil achevait de se dissoudre dans une traînée de nuages. Je ne pouvais voir le bas du ciel que dissimulaient les façades rapprochées mais, çà et là, des reflets d'un rouge presque mauve qui s'y posaient. Les réverbères en veilleuse dissipaient peu l'obscurité croissante. Les gens marchaient avec une nonchalance que je n'avais pas encore remarquée, comme s'ils n'avaient d'autre souci que de flâner sous les arbres parmi les tas de feuilles sèches ou de s'attarder sur les bancs.

Je m'engageai dans des ruelles presque désertes. Des chats interrompaient leur ronde pour me regarder passer avant de disparaître dans les cours. Aux rares fenêtres éclairées des rideaux parfois bougeaient et les vitrines des petites boutiques étaient embuées comme à la saison froide.

J'arrivai à un carrefour qui s'élargissait pour former une placette. Il me sembla qu'à mon approche elle finissait de se vider de ses promeneurs. Des hommes et des femmes, pour la plupart d'un certain âge, quelques enfants aussi, s'éloignaient sans hâte vers les rues adjacentes. Je crus donc être seul, en une heure avancée de la nuit.

Au centre de la placette, il y avait un bassin circulaire relevé de quelques marches. Je pensai de suite à ces fontaines comme il y en a dans toutes les villes aimées des visiteurs où l'on jette quelque monnaie afin que le destin vous y ramène. Je m'en approchai, je vis que l'eau ne coulait pas et que le bassin était vide. Mais un homme se tenait là, appuyé au rebord des deux mains, dans une attitude méditative. Quand je fus près de la fontaine, il releva la tête et me sourit.

L'homme demeurait silencieux comme s'il attendait que je lui adresse la parole. Du moins semblait-il disposé à m'écouter. Ce à quoi, malgré une timidité dont j'ai toujours eu peine à me débarrasser, je répondis par une remarque banale sur le calme et la fraîcheur du lieu. Il approuva. Puis peu après, avec le plus grand naturel, il se présenta. Il portait un nom à particule qui témoignait de ses origines nobles. En retour je déclinai mon nom et, si incongru que cela puisse paraître, je précisai ma date de naissance. L'homme eut ce qui me sembla un sourire indulgent et se déclara mon aîné d'une vingtaine d'années. Son élocution claire, sa voix bien timbrée, la retenue de son discours me confirmèrent dans l'impression que j'étais en présence de ce qu'en un autre siècle on eût appelé un homme de qualité.

Il fit quelques pas comme pour marquer qu'il se disposait à parler. Je compris dans son geste une invite à me placer à ses côtés et ainsi, très lentement, nous nous mîmes à marcher autour de la fontaine. Je l'écoutais. Il évoquait un passé qui m'était inconnu, où les pays avaient d'autres frontières, où les êtres vivaient selon d'autres lois. Ses propos gardaient cette mesure qui m'avait frappé dès l'abord, ses mots faisaient comme une musique sans dissonance, fruit d'une très ancienne culture. J'étais sous le charme. J'avais la sensation d'être doucement entraîné dans une spirale qui me rapprochait d'un centre, en même temps que ses paroles prenaient un tour plus personnel. Les fonctions qu'il avait occupées l'avaient mis en rapport avec de hauts personnages et conduit en des régions peu explorées. Il avait surmonté maints obstacles dressés par les hommes et la nature et visiblement acquis dans les luttes une force de caractère peu commune. Était-ce l'envie suscitée par un héritage reçu, son rang, son pouvoir qui avaient un jour guidé une main meurtrière ? Tout cela me semblait tellement logique et irréfutable que je ne fus pas étonné lorsqu'il conta son assassinat. En fait je savais déjà à quoi m'en tenir.

Je continuai d'accompagner sa haute silhouette qui marchait dans l'attitude du flâneur, mains derrière le dos, les yeux au sol. Puis il s'arrêta, comme s'il allait rompre ce que je n'oserais appeler l'entretien, son récit plutôt, ou du moins se détacher de moi. Je fis alors le geste, que je réprimai sur-le-champ, de lui prendre la main. « Parlez encore, parlez-moi, dis-je, instruisez-moi de la mort ! » Et je me surpris à sentir dans ma voix une insistance que je n'avais pas cru ou voulu y mettre. L'homme se taisait, il paraissait non pas hésiter mais réfléchir, puis il me regarda.

« Venez », dit-il.

Quand il passa à portée de voix, Kiros cria : « Oui, tu as tout à fait raison ! » Qui, par ces paroles de dérisoire approbation, il visait, il n'aurait pu le dire. Dans cet opulent quartier, à cette heure avancée de la nuit, ce ne pouvait être que de riches oisifs qui, sur les terrasses fleuries, profitaient de sa fraîcheur.

Il avait lancé sa phrase de toutes ses forces à l'adresse d'un discoureur autour duquel on devait faire cercle. Elle résonna dans le silence, il y eut un moment indécis où l'on ne savait ce qui allait advenir. Des exclamations indignées, des ordres jetés à des serviteurs, des insultes, tout ceci peut-être allait crouler sur lui comme une avalanche.

Cependant il continua de rouler à la même allure, s'appliquant à ne pas appuyer plus fort sur les pédales. À maintes reprises il fut sur le point de se retourner pour voir si on l'avait repéré. Il sentait des chiens bondir derrière lui, les crocs découverts, une volée de flèches le frapper entre les épaules. Mais les bruits sur les terrasses s'étaient arrêtés, comme d'un diffuseur que l'on débranche. Pour l'instant probablement, car Kiros n'ignorait pas qu'en cette ville l'outrecuidance ne demeurait pas longtemps impunie.

Il emprunta des rues qui ne lui étaient pas habituelles, plutôt que l'itinéraire qui depuis tant d'années le ramenait dans le même quartier. Sans doute pensait-il déjouer ainsi d'éventuels poursuivants mais il ne vit que quelques silhouettes qui s'attardaient sur le pas des portes. Il saisissait au passage des senteurs de tabac et de nonchalants entretiens.

Kiros s'engagea dans un passage voûté qui donnait sur une cour où comme à l'accoutumée il déposa sa bicyclette. L'atelier s'y ouvrait, signalé par une inscription devenue presque illisible de ne pas avoir été repeinte. Les clients, tous des habitués, n'en avaient d'ailleurs nul besoin. L'éclairage y était réduit au minimum par économie, mais Kiros aimait venir travailler à cette heure tardive. Ce soir-là encore il échangea quelques consignes avec ses deux collègues qui partiraient bientôt, le laissant seul parmi les établis et les rayonnages encombrés.

Kiros se remit à ses montages. Il ajustait à coups précis de pince des fils souples aux couleurs crues, nouait des épissures, coupait. Il allumait des ampoules, essayait des circuits. Cette activité réduite mais patiente et minutieuse lui suffisait. Du moins le croyait-il, ou voulait-il s'en convaincre. Il n'attendait pas du quotidien des luxes plus recherchés.

Cependant il y avait eu l'incident de la soirée. Plusieurs fois il s'interrompit pour aller boire un verre d'eau, et afin de se dégourdir il sortit quelques instants jusque dans la rue. Elle dormait profondément. Kiros revint à ses outils. Sans consulter l'horloge de l'atelier il savait que l'aube allait bientôt poindre. Ce serait alors la fin du travail.

Il tira donc derrière lui la porte vitrée dont le loquet s'enclenchait mal et traversa la cour. Sa bicyclette n'y était plus. Il alla voir à l'entrée des caves sous l'escalier, dans un recoin près des remises. En vain. Comment imaginer qu'on lui avait joué un tour à cette heure-ci ? Encore moins qu'on l'ait volé, dans ce quartier où l'on dédaignait de tourner les clefs dans les serrures. Quand il ferait tout à fait clair il inspecterait mieux la cour et ses environs. Il revint donc à l'atelier, s'allongea sur un vieux divan aux coussins crevés pour réfléchir et se reposer.

Le bruit de la porte vitrée qu'on poussait et refermait le réveilla. Déjà le collègue, le plus matinal des deux. Mais au lieu de l'entendre longuement déplacer les caisses à l'entrée, Kiros le vit venir à lui, tenant à la main une enveloppe. C'était pour lui, on venait de l'apporter. Kiros ouvrit, déplia une feuille. Ordre à comparaître, pour « affaire vous concernant ». On n'en disait pas plus, seulement l'adresse où il devait se présenter et la date du lendemain. De quoi s'agissait-il ? Se pouvait-il déjà que l'incident... Mais les bureaux ne pouvaient être ouverts à cette heure, et comment avait-on pu le retrouver dans le fond de cette cour ? Le collègue ne put donner aucun détail sur le messager qui s'était vite éclipsé.

Kiros repassa dans sa mémoire les jours précédents. Lui qui avait assuré sa paix en se conformant à la loi des notables, chercha des indices, voire des manquements qui lui auraient échappé. Et la bicyclette ? Quand il eut à nouveau fouillé les alentours de l'atelier il dut se rendre à l'évidence. Mais déclarer cette disparition, à défaut de porter plainte, ne serait-ce pas attirer l'attention de la police, se tendre à lui-même un piège ?

Puis, pêle-mêle, il se souvint de bribes de conversation dans les semaines précédentes. Une femme très maquillée dans un magasin rapportait à la cantonade un vol de jouets dont elle prétendait avoir été presque témoin. Ce ne pouvait être des enfants, avait-elle ajouté au moment où Kiros gagnait la sortie. De retour à son appartement il avait enlevé de l'étagère le petit coq de bois vernissé qui s'y trouvait, sans trop comprendre son geste. Le soir parfois, il voyait des individus accotés aux murs qui, faisant mine de regarder les passantes, s'échangeaient des signes. Et près de la gare où il aimait flâner le dimanche, il y avait cette ronde des taxis qui s'arrêtaient pour faire monter des femmes à côté d'un passager qui s'y trouvait déjà. Il aurait pu être l'un de ces passagers. Où ces taxis allaient-ils ensuite ? Des officiers, souvent par deux, déambulaient d'un air distrait. Mais sous la visière de leur casquette les yeux ne perdaient rien du va-et-vient sur les trottoirs. Il semblait aussi que depuis longtemps des agents habillés en civil circulaient un peu partout. Ils abordaient un promeneur, exhibaient une carte. Le promeneur indiquait une direction vague ou désignait un immeuble. Parfois il faisait quelques pas avec ses interlocuteurs, comme pour s'approcher de Kiros.

On parlait en sous-main de réseaux, de ramifications lointaines, de trafics prospères, de responsables soigneusement protégés et habiles à donner le change. Kiros n'avait jamais voulu prêter grande attention à ces histoires bonnes à en tirer des romans. Ou son regard s'était-il usé dans la quiétude de l'atelier ? Qui habitait l'ombre des terrasses nocturnes ? Kiros imaginait des hommes en chemise de soie, des cigarettes et des alcools rares, des mots désinvoltes et des chiffres qu'ils échangeaient. Ceux-là tenaient en leurs mains le sort de la cité, et il fallait s'incliner avec reconnaissance. Dans cette obscurité estivale, il devait y avoir des femmes peu vêtues qu'on frôlait, des rires et des fuites discrètes.

Et d'un coup, par une phrase lancée dans le noir, Kiros avait franchi un orbe défendu.

Le soleil maintenant pénétrait jusqu'au fond de la cour et dans le ciel montait le bleu intense. Ce jour-là Kiros ne rentrerait pas à pied. Il tourna quelques angles de maisons et longea une allée bordée de lauriers-roses et de magnolias au bout de laquelle on voyait la mer.

L'eau était encore presque glacée. Kiros nagea le plus longtemps possible vers le large.

Charlie s'éveille, ou plutôt il se lève de sa paillasse. L'heure importe peu, bien sûr, et tout le jour il va garder cette allure de somnambule qui aux yeux de sa clientèle — ou faudrait-il dire de ses fournisseurs ? — en fait son trait distinctif. Voire sa marque de commerce, car il est essentiel d'en posséder une. Et c'est à peu près tout ce qu'il possède. Paraître ailleurs quand les gens approchent, mais en réalité être bien là sans en avoir l'air. Il se lève donc car l'estomac, malgré sa longue pratique, a des ressources de patience limitées. Mais d'abord aller se vider la vessie, devant la cabane. Le grand air du matin est frais aujourd'hui, mais encore très tolérable. Un peu tôt pour les gelées. Peut-être conviendrait-il de réajuster quelques tôles en prévision des vents coulis, se procurer des couvertures mitées avant de mettre en route le poêle à bois — plus de fumée que de chaleur. Ou faire un échange, ce serait préférable, et Charlie trouvera bien un amateur intéressé par le décor. Il a l'œil sur deux ou trois occasions possibles, sans compter ses anciens quartiers encore vacants. Il sera temps d'aviser un peu plus tard.

Que reste-t-il pour le petit déjeuner ? Un fond de haricots secs dans une boîte de conserve. Secs en effet : ce n'est pas le départ idéal pour la journée. Enfin, avec une gorgée d'eau pour rincer l'intérieur, mieux que rien. Charlie prise peu le vin que ses confrères tiennent en si haute estime qu'ils en font l'objet de leur quête quotidienne. Lui, ce serait plutôt le café mais cela coûte cher à la longue et vous ne trouvez pas tous les matins une bonne âme qui vous invite dans son salon. Seulement le vestibule en principe, et alors Charlie montre qu'il sait se conduire. Ne pas être importun, voilà la clef du succès. En faire juste assez pour décider l'autre, sans fausse note. Surtout ne pas inspirer de répulsion — et beaucoup ne le comprennent pas —, sinon c'est manqué et ça ne se rattrape plus. Donc, en hiver, quand la bise rougit les oreilles, laisser entendre qu'un bon bonnet de laine ne se refuserait pas. Ni un manteau pour remplacer la redingote qui, décidément, a fait son temps. Le rêve, ce serait la peau de mouton. Tendre discrètement la main nue, et qu'elle soit propre. Si la température l'exige, porter une mitaine trouée. Les dons en nature et en espèce sont acceptés.

Essentiel aussi : choisir l'emplacement stratégique. Mais ne pas innover. Il faut de la circulation bien sûr, qu'elle ne puisse vous éviter sans que vous ne la gêniez trop. Des gens qui ont des principes et du bien, et des petites démangeaisons de conscience qu'on leur permet de calmer, simplement en leur faisant la grâce de sa présence. Ne pas empiéter sur le voisin, les chasses gardées sont bien gardées. Respecter la concurrence.

Après quelques essais peu concluants, Charlie a finalement opté pour un secteur miraculeusement libre : le porche latéral de la basilique. Le dimanche, cela va de soi, est jour de vaches grasses qui permet de boucler la semaine sans trop de crampes d'estomac. Il faut être au poste dès l'angélus. Les matinaux, les solitaires, les furtifs se glissent dans la basilique en catimini. Ce n'est pas encore le moment propice : seulement se tenir là, immobile comme les piliers du porche. Attendre qu'ils ressortent, leur âme commence alors à se dilater et ils mettent la main au porte-monnaie. Pour la grand-messe c'est différent. Repérer les tribus, les nichées familiales. Les petits sont en général chargés de mission puisqu'il faut les éduquer. « Va donner au monsieur... » Il est de bon ton alors de s'incliner avec un sourire ému. À la sortie, dans les grondements ultimes de l'orgue, ne pas trop obstruer le passage. De préférence s'effacer quand le chanoine à la mine fleurie s'attarde pour les vœux de prompt rétablissement, congratulations, salutations, encouragements divers. Rien à espérer de ce côté-là. Il ne vous voit pas ou il vous ferait plutôt balayer de devant le portail avec la poussière et les crottes de chien. En fin d'après-midi pour vêpres, c'est intéressant aussi, comme s'ils donnaient par fatigue ou par distraction. Les jours de semaine, c'est le tout-venant des usagers occasionnels, curieux désœuvrés, touristes de passage dont le nez se déplace verticalement entre le guide qu'ils lisent et les statues du tympan et plus haut encore, jusqu'à cette gargouille qui a toujours l'air de rigoler avec sa gueule fendue aux oreilles. « Du XIIIe siècle... » disent-ils.

Depuis qu'il opère en ces lieux, Charlie en a vu défiler des groupes, cortèges, troupeaux et processions. Cela distrait un peu car faire le pied de grue à longueur de journée vous use le tempérament à la longue. Heureusement qu'en cas de pluie on peut se retirer sous le surplomb du porche, ça protège des giboulées printanières comme des rafales d'automne et d'hiver. Et même des risques d'insolation lors de la canicule. Vraiment un lieu béni. Et qui a le don d'attirer les mêmes têtes aux mêmes heures. Y compris les fidèles de Charlie, ses fournisseurs attitrés. La paire de vieilles filles, toujours en train de mâchouiller et suçoter quelque réglisse, doit avoir du bien au soleil, ou plutôt à l'ombre, car elles ne s'autorisent d'autre couleur que le noir ou, à la rigueur, le gris foncé. Elles tenaient jadis, ou peut-être naguère, une confiserie. Charlie, quand les fonds sont en baisse, passe avec détachement devant la vitrine où il y a encore des bocaux vides et l'enseigne bien visible. *À la Praline des Deux Sœurs.* D'abord elles adressent à Charlie une petite exhortation qu'il écoute yeux baissés avec recueillement, puis elles extraient de leur réticule une piécette, à laquelle elles adjoignent un léger supplément à l'époque des fêtes. Outre ces braves personnes et quelques familles emmarmail-lées, un monsieur à faux col porte à Charlie un intérêt indé-fectible. C'est un retraité des impôts directs qui cherche peut-être à réparer, disons, ses erreurs passées. Vaseux et lar-moyant, il lui donne du « Mon garçon », du « Mon pauvre ami » et parfois même, un comble, du « Mon vieux frère ». Charlie ne déteste pas un brin de causette, c'est-à-dire avec quelques mots choisis il fait se sentir l'interlocuteur tout chaud de compassion et rayonnant d'humanité. C'est un pla-cement à long terme vraiment garanti.

Un peu de condescendance, Charlie le tolère chez ces bonnes gens puisque tout le monde y trouve son compte mais la morgue, non ! Une fois, alors qu'il faisait la pause devant une somptueuse demeure marbrée et gazonnée, Charlie s'était vu saisir rudement par deux gaillards et pousser vers l'autre trottoir. Il avait pris soin de noter l'adresse. Quelques semaines plus tard les occupants de la somptueuse demeure mariaient leur héritier à la basilique. Tapis rouges, plantes vertes débordant jusque sur la chaussée, coupés noirs, redin-gotes, voilettes et plumages, une pompe comme le bon peuple n'en avait jamais vu. Au moment où les orgues enta-maient la marche nuptiale et que le jeune couple allait entraî-ner sa suite glorieuse sous le portail ouvert à deux battants vers le chœur illuminé, un loqueteux tourna l'angle de l'édifice, approchant lentement sur ses deux béquilles. Le collègue avait fait les choses en grand, il puait encore plus qu'à l'accoutumée, une vraie mouffette. Il y eut un remous. Mais on ne rudoie pas un infirme, n'est-ce pas ? L'autre avançait toujours vers les jeunes mariés. Il sembla alors pris d'une faiblesse soudaine, trébucha et s'écroula sur le tapis rouge. Il faut porter assistance à toute personne en danger, n'est-ce pas ? Des messieurs en queue de pie s'employèrent donc à ramasser l'autre et à l'emporter alors que les dames resserraient leurs voilettes sur leur nez. À quelque distance, Charlie souriait aux anges.

Le quotidien est d'ordinaire plus terne mais apporte toujours son petit imprévu, et Charlie n'est pas exigeant. Ou plutôt il l'est d'une autre façon. On ne le sait pas, il ne le sait pas non plus. C'est-à-dire qu'il cherche quelque chose qui n'a peut-être pas de nom. Là sous le porche, entre soleil et ombre, il plisse les yeux, se caresse la barbe. Il paraît regarder autour de lui mais parfois il n'est rien à regarder et les temps morts sont nombreux dans cette fonction. Et puis, ces orgues qui chuchotent ou grondent quand le titulaire vient s'exercer, ce n'est pas désagréable du tout. Et même le bruit de fond aide Charlie à se concentrer. Les deux sœurs en seraient bien étonnées et les parents des marmailles aussi — à supposer que ce monde s'étonne — : Charlie réfléchit.

S'interroge-t-il sur le passé ? Le retraité des impôts en parle toujours : « De mon temps, avant la guerre, autrefois ce n'était pas comme maintenant, il y avait du respect, de la justice... Et de l'ordre, mon ami, de l'ordre. » Charlie ne le contrarie pas bien sûr, il ne contrarie personne. À quoi bon ? Cela ne pourrait que nuire aux affaires et ne changerait rien à rien. Ni le port de la soutane ni l'usage de la redingote. Pour ce qui est d'« autrefois », cela vaut-il la peine de dépenser sa salive ? D'ailleurs c'est gris, c'est vide, il n'y a plus rien. Rien d'autre que des routes, des cabanes, des fonds de cour. En cherchant bien il trouverait encore des meules de foin, des poulaillers, quelques gendarmes, des roulottes de gitans, de la neige et de la pluie, deux ou trois compères, des bosses et des dents cassées. Plus loin encore des gifles qui sonnent sur les oreilles, la morve au nez, les genoux écorchés. Plus loin encore ? C'est tout brouillé. Pourtant il a bien dû y avoir au début un homme et une femme, comme pour tout le monde. Mais ils ont dû passer l'arme à gauche depuis belle lurette. Personne n'en a jamais parlé à Charlie, il n'a jamais posé la question, jamais trouvé à qui la poser. Maintenant c'est trop tard. Et puis ça n'a plus d'importance. Ce que maintenant il lui faudrait c'est une petite mère. Un peu comme Varila, mais celle-ci aime trop le vin et quand ses vapeurs la prennent, elle devient impossible. Il y a bien eu des filles dans les fossés, au temps du trimard, mais cela n'a aucun rapport. D'abord il faudrait dénicher un autre logis que la cabane et là commenceraient les difficultés. Enfin, une idée comme ça...

Le matin Charlie explore les corbeilles à papier sur les trottoirs — mais jamais, au grand jamais, les poubelles. Aucun profit à en attendre, simplement la curiosité. Grande fête populaire la semaine prochaine, ouverture d'un salon de coiffure dernier cri, entretien des moquettes, une profession d'avenir vous est destinée, le bal des petits lits blancs, Madame Rita, voyante, informe sa clientèle. Et puis aussi les dépliants tout en couleurs sur papier lustré que jettent les touristes avec la photo de la basilique que Charlie reconnaît. Il les met dans sa poche, pour regarder le soir. Et les journaux, de la veille bien sûr, mais la première page suffit, avec des mots en gras. Ceux que dit le retraité des impôts, gouverne-

ment, dépression économique, chômage, accords internationaux, l'arme totale. Ceux des vieilles filles, la délinquance
en hausse, l'assassin court toujours, meurtre passionnel.
Rien là-dedans pour Charlie. Mais certains mots sont bizar-
res, avec beaucoup de lettres qu'il épelle une à une en bou-
geant les lèvres. Il n'est pas trop sûr mais parfois cela glisse
dans l'oreille comme les orgues quand elles se font douces
et murmurantes. Il se les répète avant de s'endormir, surtout
quand il a le ventre creux.

Il y a quelques jours il en a découvert un tout à fait
étonnant, il a dû s'y reprendre à plusieurs fois pour en venir
à bout. A-ris-to-cra-te. Et quand il l'a prononcé à mi-voix les
cloches de la basilique se sont mises à carillonner.

L a veille elle l'avait sans détour invité à passer la nuit chez elle. Ce bar de leur rencontre, il ne le fréquentait pas, il n'y était même jamais entré auparavant. À vrai dire le peu de temps passé en cette ville, nouvelle pour lui, ne lui avait pas permis de prendre des habitudes. Cela viendrait bien assez vite puisqu'il était à un âge où déjà le pendule de la vie s'écarte plus difficilement de sa course réglée. Mais peut-être voulait-il vérifier une fois encore que ses cheveux grisonnants, son visage qui s'empâtait un peu n'attiraient pas que des regards froids ou indifférents.

Il se trouvait donc maintenant dans une sorte de grenier que le petit matin éclairait d'une lumière terne. Elle devait s'affairer dans une pièce voisine puisque des bruits de vaisselle lui parvenaient. Il alla à la fenêtre sans rideaux qui donnait sur une cour intérieure. Sous le ciel poudré de gris les toitures étaient presque à sa hauteur. Les gouttières crevées descendaient au long des trois façades de briques noircies. Il y avait d'autres fenêtres, closes sur des logis qui semblaient inoccupés. Pourquoi donc était-elle venue s'installer en ces lieux aussi délaissés, elle qui lui avait dès l'abord paru la vie même ?

Il revint s'asseoir dans le fauteuil bancal posé là au beau milieu de la pièce. Il vit des bibelots sur une étagère, des livres entassés dans un coin à même le plancher, divers objets qui devaient être de rebut. Maintenant elle fredonnait un air avec, çà et là, quelques mots qu'il pouvait presque saisir. Elle venait de déposer à son intention sur un plateau de rotin les éléments d'un petit déjeuner, du pain grillé, du café à l'arôme pénétrant, mais déjà, avec un léger rire, elle regagnait la pièce voisine. Depuis la nuit il n'avait pas encore pu voir son visage. Seulement le chignon remonté sur la nuque, la courte jupe de cuir gris cendre qui moulait les hanches, les jambes et les pieds nus. Une silhouette solide plus que gracile dont chaque mouvement laissait deviner les ressources de vigueur.

Que faisait-il là ? Autrefois il s'était réveillé au matin dans des chambres inconnues comme leur occupante et il ne s'attardait pas. Quelques banalités, des mots de politesse, il n'y avait rien de plus à dire, pas de lendemain à attendre, encore moins de passé à évoquer. Mais ce matin ? Pourquoi lui avec cette grande jeune femme qui possédait tous les atouts pour imposer son choix ? Les images du bar demeuraient encore nettes, du moins la table où ils s'étaient assis dans la pénombre rougeâtre pleine de musique. Des regards plus que des paroles, le geste de la main qu'elle avait eu pour l'inviter. Mais après cela ? Avaient-ils dansé sur la piste où se serraient les couples, très lentement ? Leurs corps s'étaient-ils alors pour la première fois rapprochés ? Il ne gardait pas souvenir d'une proximité au retour sous la pluie fine, peut-être des bruits de pas sur les trottoirs. Et après ? Il avait bien dû y avoir la chambre avec le couvre-lit de piqué à fleurs, la seule touche de couleur qu'il avait perçue. En lui il sentait partout une chaleur, quelque chose de soyeux, mais ce bien-être lui avait-il été donné par l'autre corps ? Impossible de l'appeler alors qu'elle continuait de s'affairer dans la pièce voisine. Il lui aurait semblé incongru de l'interroger, même à mots indirects, tant il avait le sentiment d'être soumis à une loi tacite. Pourtant elle lui avait sans doute beaucoup permis.

Il restait donc assis là, à goûter le café odorant et le pain grillé. Presque infirme sans l'aide de sa mémoire, mais plein de la chaleur répandue dans tous ses membres. Près de s'en contenter, ce bien-être ne lui étant pas si commun, et néanmoins pas tout à fait. Comment avait-il pu ainsi oublier, et comment emplir cet inexplicable trou de mémoire ? La conviction montait en lui qu'il ne devait pas attendre un recours de la jeune femme qui continuait de chantonner avec une tranquille allégresse. S'en remettre au hasard, plutôt, donc se disposer à recevoir un signe. Soudain une urgence monta, comme si son destin allait se jouer avec ce vide de quelques heures qu'il fallait dans l'instant combler.

Aux murs il ne voyait nulle gravure, nul ornement dont il eût pu espérer un indice. L'étrange indifférence de la jeune femme pour son décor le frappait. Dans cette pièce les objets flottaient avec un air de vacance. Leur présence, celle même du fauteuil bancal, ne paraissait répondre à aucune nécessité de l'usage. Ou était-ce l'effet de quelque savante mise en scène qui eût voulu communiquer l'impression totale de fortuit ? Ces livres sur le plancher avaient-ils été empilés là par des locataires successifs ? Il se mit à en déplacer quelques-uns. Considérations, commentaires, traités, exhortations, dialogues : il eut le sentiment de fouiller un morne fond de bouquiniste, de remuer des volumes dont on ne comprend plus maintenant pourquoi ils furent écrits et dont il vient un relent de sciences mortes.

Cependant il en dégagea un avec un dos de basane râpé qui portait encore en creux l'empreinte du titre. Le livre contenait des textes courts, comme ces « morceaux choisis » où les écoliers apprenaient à lire. Des frises à motifs floraux, des culs-de-lampe, des rosettes donnaient au volume cette joliesse vieillote qui fait le plaisir des amateurs. Il glana des phrases, des fragments d'aventures. Des chevaliers laçaient leur armure et partaient sur leur destrier. Au pied des donjons, des tournois les réunissaient. On rencontrait des seigneurs puissants et braves, des comtes félons, et aussi des ermites, des moustiers, des forêts si épaisses qu'une nuit perpétuelle y régnait, des torrents périlleux, des fauves errants, des dames en quête d'un protecteur et des perfides. Un cavalier solitaire donnait son pain aux mésanges dans un bois enneigé. Tout cela avait nourri ses lectures d'enfant auxquelles il n'était plus revenu. Il trouva un brin de mimosa séché entre les pages. Il lui semblait parcourir les chambres d'une vieille maison où il aurait autrefois passé ses vacances et dont les derniers propriétaires seraient morts depuis longtemps. Si l'on ouvrait les volets pour dissiper l'odeur de moisi, la demeure tomberait en poussière. Il referma le livre. La voix à côté chantait maintenant une sorte de complainte, les couplets d'une histoire toujours reprise et prolongée. Mais qu'avait-elle murmuré la nuit dans la tiédeur des draps ?

Surtout qu'allait-il advenir après cette voix, après cette femme dans le grenier où entrait par les vitres la lumière pâle ? Demain, plus tard ? Penser à retenir cette créature jeune serait insensé. Mais envelopper encore une fois le corps ardent, sentir remuer les lèvres toutes proches... À genoux sur le plancher il continuait de fourrager dans les piles de livres que dans sa fièvre il fit crouler. Celui-ci, ou plutôt celui-là. Il l'ouvrit. Des mots se détachaient. « Sans regrets », « une nouvelle vie ». Une phrase aussi : « La guerre éclata, que l'on croyait la dernière et, comme tous les autres, il lui fallut partir. » D'un bond il se releva, se dirigea vers la porte de la pièce voisine mais déjà il sentit qu'elle était vide.

Le voyage de nuit traverse la ville en plein sommeil noir. Les maisons sont fermées, mais quels habitants y demeurent encore ? Dans ce quartier éloigné quelques réverbères éclairent la rue où marche le musicien aveugle. Sa fille l'a laissé partir seul, ou plutôt elle l'a poussé dehors. Il s'éloigne, un peu voûté et frôlant les murs. Une lueur venue d'une ruelle transversale éclaire des façades sur lesquelles sont ébauchées des fresques vaguement colorées. Puis de simples lignes blanches où se lisent peut-être des cérémonies. Des dessins comme en compose la limaille sur le métal aimanté. Dans l'air se forment et se défont d'autres figures. Des esquisses de personnages ondoient, au ralenti. Mais ils ne s'achèvent pas. Au-delà de la ville s'étend toujours la ville sans lumières, à travers laquelle il faut poursuivre le voyage de la nuit.

Dans un claquement de bottes le peloton vint s'aligner sur un rang, l'arme au pied. Les commandements déchiraient l'obscurité comme des morsures. Puis ce fut à nouveau le silence. Le ciel pâlissait.

À une vingtaine de pas les hommes s'étaient tous mis debout. Ils ne s'étaient pas conformés à la loi et n'avaient pas fléchi. Le jour se lèverait sur leur mort.

On avait racolé des témoins, il fallait qu'il y en eût, pour l'exemple. Il se tenait parmi eux, lui qui s'était fait le complice parce qu'il n'avait pas parlé quand il aurait dû. Il essayait maintenant de distinguer ces hommes, à peine plus jeunes que lui. Il vit qu'ils tremblaient un peu, mais c'était de froid.

Toute la nuit ils avaient attendu là et l'on prolongeait leur attente parce que les consignes prescrivaient cette dernière épreuve.

L'un des soldats casqués sortit alors du rang et se dirigea droit vers lui. Il aurait voulu se dissimuler derrière les autres témoins mais déjà le soldat avait déposé dans ses mains un objet. Une simple boîte de carton défoncée qui retenait à peine son contenu. Il se baissa pour ramasser quelques feuilles froissées qui étaient tombées. Maintenant il pouvait partir, et il le devait sur l'heure. Encore un regard vers ces visages creusés, ces yeux fiévreux et calmes, pour y surprendre un secret. Puis il se détourna. Derrière lui les fusils retentirent d'une seule décharge.

Il marchait aussi vite qu'il le pouvait, sa boîte sous le bras. Les messages aux êtres chers, les dernières pensées de ceux qui venaient de mourir : désormais il en était le gardien. Les prairies s'ouvraient au loin, des chevaux piaffaient près d'une clôture. Sous le soleil du matin les pavés de la route luisaient de pluie.

Vers d'autres rives

Une cloche achevait de sonner midi quand, sous un lourd soleil, Gildas entra dans le village. C'était plutôt une petite bourgade dont la route formait la rue principale d'où partaient des venelles. D'un côté elles devaient conduire à la mer, de l'autre se perdre en des collines basses, puis des landes. Un poste d'essence signalait la limite de l'agglomération.

On avait recrépi les façades, ajouté çà et là un balcon avec quelques jardinières fleuries. Ces efforts de rajeunissement cachaient mal les fonds de cours pleins de ferrailles, de caisses, de plâtras où poussaient les orties. Un pan de mur d'une maison qu'on avait abattue étalait des coulures de suie et les trous où autrefois venaient s'insérer les poutres. Une palissade fermait le chantier sur la rue. Si le lieu avait eu jadis quelque couleur propre, rien ne semblait en subsister. La tuile et la brique de série avaient partout remplacé l'ardoise et la meulière. Là comme dans tous ces villages qu'il avait traversés régnait une grisaille que rehaussait encore la violente lumière d'été.

Gildas stationna près de la place où le marché remballait ses éventaires. On chargeait sur des camionnettes les légumes et les fruits invendus. Bientôt il ne resterait à terre que des papiers et des détritus. Une odeur flottait où se mêlaient les senteurs du chou et de la pêche. Des bruits de voix parvenaient des deux cafés. Ailleurs le silence se faisait. Le village rentrait en lui-même, pour quelques heures, alors que la touffeur montait encore d'un cran.

La compagne de Gildas était demeurée à l'auberge. Quand elle avait parlé de lassitude et de son désir de flâner un peu, il l'avait saisie au mot et pris la route vers la côte. Ce détour, il devait le faire seul, pour accomplir peut-être l'étape ultime.

Il avait d'abord traversé des pinèdes en terrain sablonneux, puis des végétations basses qui entouraient des pierres levées ou l'entrée de tumulus en pyramide. Jusqu'à ce château au curieux nom italien dans une lande qui annonçait la fin de la terre. La bâtisse tenait encore debout avec une certaine vigueur fière mais toute une aile était ruinée et des branches passaient par les fenêtres ouvertes sur le ciel. Quelques poissons rouges survivaient dans l'eau glauque des douves entre les prêles et la vase. Une mouette venue s'égarer là tournoyait au ralenti. La mer devait bruire un peu plus loin mais Gildas s'était dirigé à nouveau vers les pins et les ajoncs de l'intérieur.

Une fontaine s'adossait à un mur, dernier reste visible d'un lavoir. L'eau était tiède mais il put apaiser sa soif. Quelques fruits lui tinrent lieu de repas et il s'engagea dans la rue qui prolongeait de l'autre côté de la place celle par où il était arrivé. Un homme enfourchait sa bicyclette, des camionnettes démarraient avec des bouffées de fumée sale, un petite fille traversa la chaussée en tenant précieusement dans sa main une crème glacée. La rue appartenait désormais aux odeurs de friture qu'on entendait grésiller dans les cuisines et au soleil qui chauffait à blanc.

Mais à vingt pas, une femme marchait. Elle avait jeté sur ses épaules une sorte de cape blanche, sans doute pour se protéger de la chaleur, et qui tombait à grands plis comme l'eût fait une tunique antique. Ses cheveux noirs étaient enroulés en tresse sur la nuque. Elle allait sans hâte, puis elle s'engagea dans une allée de jardin qui tournait derrière un massif de lilas. Il sembla à Gildas qu'elle lui avait souri mais cela ne se pouvait puisqu'elle n'avait pas tourné la tête et qu'il n'avait pas vu son visage.

La double rangée de façades était maintenant continue, presque sans failles, car dans les maisons où se percevaient quelques bruits étouffés on tirait les volets sur un semblant de fraîcheur. Bientôt viendrait la sieste prolongée mais le sommeil avait déjà commencé dans la rue. Les murs, le village amassaient le silence brûlant, le pétrissaient pour en faire une substance ferme dans laquelle Gildas avançait avec peine, comme on le fait en rêve dans un vent debout.

La rue s'allongeait plus que Gildas aurait pu le prévoir et il s'apprêtait à faire demi-tour. D'ailleurs il n'y avait rien qui pût accrocher son attention. Son pied buta sur le trottoir contre une dalle descellée qui basculait en porte-à-faux. Il leva les yeux sur une vitrine. De la brocante médiocre, sans doute : comment un antiquaire aura-t-il trouvé des pratiques dans ce village oublié des touristes ? La poignée de la porte avait été enlevée et rien n'indiquait que le propriétaire vînt encore. Devant un rideau de cretonne décolorée qui séparait la vitrine de l'arrière-boutique, parmi la poussière et les mouches mortes, des objets s'entassaient. Et cependant il sembla à Gildas qu'ils n'étaient pas disposés au hasard mais avec l'intention de les mettre en évidence. Des liasses de journaux, un coffre clouté, une lanterne sourde constituaient le tout-venant des greniers mais un tube de cuivre piqué de

103

vert-de-gris occupait une place centrale : ce pouvait être une lunette d'approche marine ou un télescope à faible portée. Un chandelier ouvragé à sept branches à côté d'un luth dont les cordes manquaient ou, cassées, se recroquevillaient en volutes. Un shako et un sabre de cavalerie voisinaient avec un petit accordéon aux touches de nacre et une pile de livres. Quelques-uns avaient été ouverts pour montrer les gravures qui les illustraient, sommairement coloriées comme des images d'Épinal. Un légionnaire romain en casque et le glaive au côté appuyait son javelot au sol. Sous un grand arbre très vert un vieillard brandissait une faucille. Au bord d'une falaise, face aux vagues en furie, un homme barbu, naufragé ou prophète, levait les mains en un geste qui paraissait de conjuration. Sur des mappemondes à demi déroulées, des voiliers cinglaient vers des rivages bordés de jaune.

La vitrine contenait encore d'autres objets que Gildas aurait eu peine à inventorier. Il reprit la rue en sens inverse, dans l'haleine brûlante qui l'emplissait ou que, plutôt, elle exhalait. L'impression s'affirmait en lui qu'elle était en attente, aux aguets, vaguement malveillante. Ou qu'elle le repoussait. Parvenu à la place du marché il se laissa tomber sur un banc à l'ombre. Lui qui était rompu à de longues marches forcées par tous les climats, cette promenade l'avait fatigué. Une impatience montait, de l'irritation même. Le pendule s'était pourtant bien arrêté sur ce point de la carte qui marquait la bourgade dans un repli des découpures de la côte. Il y avait eu les pierres levées dans les landes, le château à demi ruiné, puis le bric-à-brac dans la vitrine, et aussi la femme à la tresse noire, mais qu'avait-il donc escompté ? Sans doute aurait-il fallu remonter chacun des fils qui aboutissaient là et qui ne parvenaient pas à se nouer. Ou peut-être le faisaient-ils sous ses yeux. D'autres s'y ajouteraient mais comment dire les bons ?

Il s'avisa qu'il n'avait pas encore vu l'église dont les cloches l'avaient cependant accueilli. Cette ruelle aux pavés ronds y conduisait certainement. Il déboucha en effet sur une place plus vaste que ne le laissait deviner l'importance du village, véritable esplanade inondée de soleil. Elle devait s'ouvrir sur la mer, au-delà d'une rangée de pins parasols qui marquait aussi les limites du cimetière. L'église y était accotée, presque insérée et une haie touffue empêchait d'en faire complètement le tour. Le clocher coiffait le bâtiment carré, avec le léger renflement de l'abside. Le granit était équarri plus que taillé, du lichen en colorait à peine la masse rugueuse. Gildas ne s'étonna pas de ne rencontrer à cette heure ni visiteur ni mendiant sous le porche. Derrière la porte verrouillée, il n'y avait sans doute pas d'autre curiosité que ces statues aux grands yeux naïfs qu'on trouvait dans toute la région. Les montants du porche et la voussure qui s'y appuyait avaient été un peu plus soigneusement travaillés mais la dureté de la pierre avait sans doute découragé les tentatives de sculpture. Aussi Gildas fut-il surpris d'apercevoir dans la courbure de l'abside et presque sous l'avancée du toit un relief. Mal dégagés mais reconnaissables, un cavalier et sa monture s'élançaient, la lance abaissée, parés pour l'assaut. Au-dessous, comme des incisions usées de la pierre, des signes étaient disposés en couronne. Gildas y distingua le plus visible, celui de Mercure.

Il franchit la ligne des pins et des buis que le ciseau avait négligé d'égaliser. Les pierres tombales et les croix pointaient au hasard. Peut-être avait-on aménagé ailleurs, en dehors du village, un autre cimetière car dans celui-ci régnaient uniformément la mousse et la rouille. Gildas déchiffra des dates dont les plus récentes remontaient à un siècle, des noms, des prénoms désuets. Des inconnus, bien sûr. En aurait-il pu être autrement ? Mais la rencontre soudaine d'un de ces noms aurait peut-être pu ramener quelque chose du fond des temps.

Le sable durci de la place se réverbérait à nu. Rien n'en affaiblissait l'éclat ou n'y ménageait une ombre. Gildas hésitait à traverser cet autre désert. Mais des présences s'y déplaçaient. Quelqu'un venait vers lui, d'un mouvement qui lui parut d'un coup s'accélérer. Une tête ronde aux yeux globuleux, le nez épaté, la mâchoire proéminente qui pendait un peu. D'autres visages mongoliens se succédaient. Des yeux fous. Les visages tournaient, le dépassaient, ou s'éparpillaient. Des mains allaient se saisir de lui, le frôlaient. L'air s'ouvrait devant Gildas, un vide chaud où il tombait sans prise à laquelle se retenir. Il se releva. À l'autre bout de la place des silhouettes gauches se rassemblaient autour d'un petit autobus. Une femme les faisait monter avec précaution comme de grands enfants. Le véhicule manœuvra et la place fut déserte.

Gildas contourna le cimetière. Un chemin à peine tracé dévalait la pente entre des rochers et des végétations enchevêtrées, puis remontait vers un terre-plein. Gildas se trouva face à l'océan. Depuis son entrée dans le village il le savait là, ce ne pouvait être que là. Mais il fallait n'y venir que plus tard, à la fin, en aboutissement du périple, ou en dernier recours. D'abord lui tourner le dos, l'éviter, feindre d'en nier l'existence. Parce que tant d'événements s'y étaient déroulés, des destins noués et dénoués. Ou plutôt un unique destin.

La brûlure de l'air n'était plus tout à fait la même. Plus légère, ou mobile. Elle mêlait le bleu, le blanc, le mat et le vif du ciel et de l'eau. Gildas se glissa entre les rochers fracturés, striés, taraudés de toutes parts. Certains à moitié enveloppés de mousses surplombaient le sable et de courtes vagues s'enfonçaient par en dessous pour ressortir en lents éventails d'écume. La marée avait abandonné des monceaux de menus coquillages et des algues gélatineuses dans des flaques. À quelque distance sur la gauche, la falaise s'adoucissait, et un promontoire de blocs avançait dans la mer, restes d'une jetée qui abritait sans doute de l'autre côté une crique.

C'était donc de là qu'ils étaient partis, les navires chargés d'émigrants, d'exilés aux visages pleins d'espoir ou d'angoisse. Parmi eux, un homme aux yeux couleur d'embruns comme ceux de Gildas, qui porterait aux compagnons des autres rives le message qu'on lui avait confié, pour réaliser sa mission.

Gildas résista au désir de s'asseoir et, pieds nus, il marcha à la limite de l'écume. Il ramassa un galet tout brillant de ses paillettes de mica lavé. Il devait rester debout devant cette immensité miroitante, pour saluer, ou peut-être commémorer. Cette substance d'eau et de lumière, il la laissait couler en lui, se livrait au vertige vibrant, comme pour enfin, dans le froissement des vagues, traverser le temps.

Il vit que le soleil se trouvait en face de lui alors qu'il avait cru en recevoir encore le poids à la verticale. Le ciel, maintenant dégagé du voile brûlant qui le tendait, modelait à l'horizon des petits nuages arrondis, à la fois si proches et si lointains que Gildas sentit monter à ses yeux des larmes.

Un mot surgissait : prier. Non pas une pensée, ni un acte qui avait perdu son sens ou n'en avait jamais eu. Un mot simplement, ou plutôt un objet, dur comme un caillou ou une écorce, et qui demeurait là, accroché. Puis ce fut comme s'il se pulvérisait silencieusement avant de s'effacer.

Gildas marcha un peu plus loin en direction du promontoire. N'y avait-il pas eu dans sa tentative quelque chose de vain ? Il ne s'agissait pas de remonter le fil d'une histoire mais de continuer de le dévider, avec obstination et confiance. Et Gildas sentait que l'eau le traversait, et le sable, les rochers, les pins sur la falaise et les nuages, le village assoupi avec ses habitants, le soleil flambant et le croissant pâle de la lune qui bientôt paraîtrait. Tout à travers lui se liait. Tout était donné et inaperçu. Le monde attendait que s'ouvrent des yeux pour le voir. La lignée des hommes qui veulent sortir de leurs ténèbres ne peut s'interrompre. Certains ont failli peut-être, ou ils ont trop tôt péri. Mais ils ont reparu en d'autres temps, ou d'autres à leur place. Gildas allait repartir. Pour que rien d'essentiel ne se perde, il le savait maintenant, quelqu'un doit toujours marcher sur le chemin, toujours quelqu'un doit veiller.

Dans la même collection :

ACHEVÉ D'IMPRIMER
EN NOVEMBRE 1993
À L'IMPRIMERIE D'ÉDITION MARQUIS
MONTMAGNY, CANADA